DANCING DREAMS
ZATERDAGNACHTKOORTS

Tine Bergen

Dancing DREAMS

ZATERDAG-NACHTKOORTS

Standaard Uitgeverij

© 2013 Standaard Uitgeverij / WPG Uitgevers België nv,
Mechelsesteenweg 203, B-2018 Antwerpen en Tine Bergen

www.standaarduitgeverij.be
info@standaarduitgeverij.be

Vertegenwoordiging in Nederland
Singel 262
1016 AC Amsterdam
Postbus 3879
1001 AR Amsterdam

Omslagontwerp: Maarten Deckers
Vormgeving binnenwerk: Aksent

ISBN 978 90 02 25022 4
D/2013/0034/27
NUR 283

'Here comes the sun.
And I say it's alright.'

The Beatles, Here comes the sun

'Hebben jullie nog een momentje, meiden?'
Ik keek achter de rug van dansleraar Jesse licht
wanhopig naar mijn beste vriendin Charlot. Niet
nog meer! Het was verschrikkelijk warm vandaag.
Voor het eerst dit jaar was de temperatuur boven de
dertig graden geklommen, ook al was het nog maar
begin mei. En we hadden net een uur lang de ziel uit
ons lijf gedanst op de ingewikkelde choreografie die
Jesse vorige week had bedacht. Een deel van de dans
deden we met de handen aan elkaar gebonden. Dat
zou de act een stuk mooier maken volgens Jesse. God
mocht weten waar hij dat idee vandaan had gehaald.
Voorlopig was er vooral geklungel te zien. En Charlot
had me een flinke blauwe plek gestoten met haar
elleboog. Ik wreef stevig over de zijkant van mijn
borstkas, alsof dat de beurse plek minder pijnlijk zou
maken.
Ik liet mijn blik kort door het lokaal glijden en zag
nog meer uitgeputte gezichten. Het enige wat we nu

allemaal wilden doen, was naar de douche stormen.
En mijn gekneusde tenen wilde ik nog het liefst van al
even in de diepvries stoppen. Om vervolgens minstens
een liter water te drinken. Ik zag mezelf al zitten in
de schaduw van de notenboom in onze tuin met een
groot glas water vol tinkelende ijsblokjes en een fris
briesje dat langs mijn pijnlijke tenen streelde.
Maar dat zou dus allemaal nog even moeten wachten.
Met een luide zucht liet ik me naast Charlot op de
dansvloer ploffen en keek samen met de vijftien
andere leden van onze dansgroep Dancing Dreams vol
verwachting naar onze leraar.
'Ik denk dat ik goed nieuws heb.' Jesse grijnsde breed
en pauzeerde even om spanning op te bouwen. Ik
grinnikte. Je kon het gerust aan onze dansleraar
overlaten om drama te creëren. Zelfs van een
eenvoudige mededeling kon hij een heel event maken.
'We hebben vandaag een telefoontje gekregen van
dancing Arno's. Kennen jullie die?'
'Dat is die tienerdancing, toch? Het grootste deel van
de tijd is het natuurlijk een gewone dancing. Maar
sinds kort organiseren ze ook party's voor jongeren.
Eindelijk iemand die begrepen heeft dat je geen
achttien moet zijn om graag uit de bol te gaan op
muziek. De organisator is trouwens zelf nog maar
zeventien, dacht ik.' Suze liet maar wat graag horen
dat zij er alles van afwist.
Jesse knikte. 'Dat klopt. Nico Brouwers, de organisator
van de tienerparty's in Arno's, is zelf inderdaad nog
maar zeventien. Hij weet dus perfect wat tieners willen.
Ondertussen heeft hij al drie succesvolle party's op
poten gezet. Het is natuurlijk de bedoeling dat ze
altijd weer anders zijn en opvallen. Daarom is hij voor

de volgende party op zoek naar dansers voor op het podium.'

Ik ging rechter zitten. Er was ondertussen niemand meer die nog tegen de vloer hing. We leunden allemaal in Jesses richting, alsof we de woorden zo uit zijn mond konden trekken.

'Zaterdag 30 juni is er in Arno's een party om het begin van de zomervakantie te vieren. Nico wil dan graag een zestal meisjes laten dansen op het podium, om de sfeer erin te brengen. Die komt hij hier zoeken. Je moet tussen de elf en de vijftien jaar oud zijn en een choreografie instuderen voor een auditie. Ik zal dan samen met Nico en zijn team de zes dansers selecteren die, hopelijk, allemaal uit deze groep komen.'

Jesse wilde nog meer vertellen, maar het rumoer dat ontstond in het hete danslokaal belette dat. Ik balde triomfantelijk mijn vuisten en draaide me naar Charlot, die met een dromerige blik voor zich uit zat te staren. Die zag zichzelf al op het podium dansen! Ik porde mijn vriendin terug naar de aarde. 'Daar moeten we bij zijn!'

'Natuurlijk!' Charlot keek naar het tumult rondom ons en ik wist wat ze dacht. Dat we beslist een kans maakten. Suze zou natuurlijk worden geselecteerd, die was als danseres geboren. Er was niemand in onze groep die aan haar kon tippen. Zelfs Jesse stond regelmatig versteld van wat zij met haar lichaam kon. En dat wilde wat zeggen, want de lat van onze dansleraar lag hoog.

Ik boog me voorover naar Joke en Tara, de twee donkerharige meisjes die een eindje verderop zaten. Ook goede dansers... Vooral Joke. Die had zelfs als ze gewoon de trap op liep een elegantie waarop ik stiekem jaloers was. Maar er werden zes meisjes gekozen, hield ik mezelf voor, dus ja, we hadden beslist een kans.

'Zouden we een speciale outfit moeten dragen?'

'Is het een heel moeilijke choreografie?'

'Vast wel!'

'Hoeveel mensen zouden er naar zo'n party komen? Misschien is er pers!'

De vragen zoemden nu door de lucht, het lokaal zinderde van enthousiasme en verwachtingen. En van opgedroogd zweet, bedacht ik te midden van dat alles met lichtjes opgetrokken neus.

'Wanneer vindt de auditie eigenlijk plaats?' riep Tara door het lokaal.

Alle blikken draaiden zich naar Jesse. Dit was een vraag die op al onze lippen brandde.

'Op zondag 10 juni, in de voormiddag.'

Het werd muisstil terwijl de impact van Jesses woorden inzonk. Ik rilde. Ondanks de plakkerige warmte voelde ik me alsof iemand net een emmer ijskoud water over me heen had gekletst. Mijn wervels tintelden. Geïrriteerd sloeg ik mijn armen rond mezelf.

Een golf van teleurstelling ging door de hele groep.

'Maar dat is midden in de examens', merkte Joke uiteindelijk op.

Jesse haalde kalm zijn schouders op. 'Wat is een nieuwe stap in jullie danscarrière jullie waard, dames?'

'Hoe halen ze het in hun hoofd!' Verontwaardigd propte Joke even later in de kleedkamer haar dansschoenen in haar tas. 'Op die manier vinden ze toch nooit voldoende dansers.'

'Zo zijn ze wel zeker dat ze bijzonder gemotiveerde dansers vinden', merkte Charlot nuchter op.

'Dat je gemotiveerd bent, betekent daarom niet dat je ook de beste bent', vond Tara.

Ik hoorde de discussie die daarop volgde maar met een half oor aan. Op automatische piloot propte ik mijn danskleren in mijn rugzak. Ik tastte naar het flesje Spa dat helemaal naar de bodem was gegleden en klokte het lauwe water met grote slokken naar binnen.

'*No way* dat ik mag meedoen van mijn ouders', mompelde ik toen ik even later samen met Charlot door de grote klapdeuren naar buiten verdween.

Mijn beste vriendin antwoordde niet meteen, maar zei uiteindelijk bedachtzaam: 'Het hen gewoon vragen lijkt me in elk geval een goede eerste stap. Ze kunnen alleen maar nee zeggen...'

Ik blies. 'Jij hebt makkelijk praten. Hoe vaak zeggen jouw ouders nee?'

Charlot zweeg.

Ik trapte nukkig tegen mijn fietsslot. Charlot had bijzonder makkelijke ouders die haar zelden iets weigerden. Ze geloofden in vrije keuzes en leren uit je fouten. Nu ja, Charlot kon dit soort dingen ook altijd zo doordacht en handig aanbrengen dat 'ja' gewoon het meest logische antwoord leek. Dat had er vast ook wel iets mee te maken. Dat Charlot niet alleen mijn beste vriendin maar ook mijn nicht was, maakte dat ik af en toe mee kon profiteren van de 'ja' die zij kreeg. Als het om iets heel erg belangrijks ging, wilde Charlots moeder meestal wel een goed woordje voor mij doen bij haar zus, mijn moeder. En dit was belangrijk. Heel erg belangrijk.

'Ik vraag het meteen als ik thuis ben', beloofde Charlot op het kruispunt aan de bank, waar we allebei een andere kant uit moesten. 'Ik stuur je een berichtje zodra ik meer nieuws heb!'

Ik knikte en zwaaide kort. Lusteloos peddelde ik verder naar huis. De frisse douche waar ik daarnet nog zo naar uitkeek, lonkte niet meer.

'Nore, kom je eten? Waarom zit je eigenlijk binnen?
Buiten in de schaduw is het volgens mij veel
aangenamer om te studeren.' Verwonderd stak mama
haar hoofd om de kamerdeur.

Ik staarde naar de onopgeloste wiskundeoefeningen die
al meer dan een uur voor mijn neus lagen. Elke keer
als ik een poging wou doen om het eerste vraagstuk
op te lossen, móést ik gewoon mijn gsm checken om
te kijken of ik nog geen bericht had van Charlot. Het
was sterker dan mezelf. En beslist sterker dan de toch al
twijfelachtige lokroep van wiskundesommen.

Charlot was ondertussen al ruim anderhalf uur thuis
en ze had nog altijd niks laten weten. Misschien waren
haar ouders nog niet thuis, dat zou natuurlijk kunnen.
Maar ik betwijfelde het. Net zoals ik betwijfelde dat
geen nieuws in dit geval goed nieuws was. Ik duwde
mijn wiskundeschrift aan de kant en volgde mama de
trap af en de keuken door, naar het terras. Mama had
gelijk. Het was buiten in de schaduw veel beter.

'Hoe was de dansles?'

'Goed.' Ik vermeed een uitgebreider antwoord door mijn bord snel vol te laden met tonijnsalade en tomaten. Gelukkig zorgde mijn broer voor afleiding.

'Sebastiaan, kan het wat beleefder, we hebben bestek om een reden!'

Ontzet staarde mama naar de berg sla die Sebastiaan met beide handen op zijn bord schepte.

Met zuinige hapjes prikte ik in mijn tonijnsla. Ik vervloekte mezelf dat ik mijn bord zo vol had geladen, want ik had helemaal geen honger.

'Lukt het niet, Nore?' Papa wees met zijn vork op de berg tomaten die ik al drie keer heen en weer had geschoven over mijn bord.

'Te warm...'

'Het is ook echt verschrikkelijk warm vandaag', viel mama in. 'Maar voor morgen geven ze alweer onweer...'

Het gesprek kabbelde voort, maar ik luisterde niet langer, want ik voelde mijn gsm in mijn broekzak trillen. Ik wist dat mama er een hekel aan had, maar toch viste ik onder tafel mijn gsm tevoorschijn.

Ze zeggen nee ☹

Ik legde mijn bestek met een zucht in mijn bord. Het kleine beetje eetlust dat ik nog had, was nu echt helemaal verdwenen.

'Jullie zijn misschien niet blij met mijn tafelmanieren, maar ik eet mijn bord wel leeg. Moet je kijken wat Nore heeft opgeschept zonder dat ze het zelfs maar aanraakt. Ik dacht dat je bord leegeten toch wel de basis was van beleefdheid? En dan heb ik het nog niet over wat de kindjes in Afrika hiervan zouden denken.'

Sebastiaan keek me grijnzend aan.

Tot mijn ontzetting voelde ik de blikken van mijn ouders opnieuw mijn richting uitkomen. Ik propte haastig mijn gsm terug in mijn broekzak en stampte Sebastiaan onder de tafel stevig tegen zijn kuit. Harder dan ik bedoeld had.

'Au!' Verrast greep Sebastiaan naar zijn been. 'Nou, Nore, jij hebt geen beetje last van frustratie vandaag.'

'Ach, vlieg toch op!' Nijdig duwde ik mijn stoel achteruit. 'Ik wil graag voortwerken aan mijn huiswerk.' Zonder op antwoord van mijn ouders te wachten, haastte ik me naar mijn snikhete kamer.

'Wat was dat daarnet allemaal?'

Ik onderdrukte een zucht terwijl mama de kamerdeur verder openduwde en zich op de rand van mijn bureau liet zakken. Ze keek kort naar de vraagstukken die nog altijd niet opgelost waren. Ik schoof mijn kladblok over de oefeningen, zodat mama niet kon zien dat ik er zelfs nog niet aan begonnen was.

'Sebas doet gewoon vervelend.' Nukkig klikte ik het dopje van mijn pen toe en weer open en weer toe.

'Sebas doet regelmatig vervelend. Maar jij laat je er meestal niet zo door opjagen.' Mama grinnikte en ik glimlachte voorzichtig mee.

'Dus wat is er echt aan de hand? Ik ken mijn eigen dochter heus wel. Je zit op iets te broeden. En als je aan tafel met zo'n duistere blik in je schoot zit te turen, weet ik ook best dat je geen goed nieuws hebt gekregen.' Mama knikte kort in de richting van mijn gsm, die op de rand van het bureau lag.

Betrapt stopte ik de telefoon terug in mijn zak. 'Het was dringend nieuws', verdedigde ik mezelf.

'Van Charlot?'

Ik knikte en keek toe hoe mama op haar gemak haar ene been over het andere sloeg. Ze had duidelijk alle tijd van de wereld om te wachten tot ik zou vertellen wat ze wilde weten. En had ik een keus? Als ik het niet vroeg, kon ze niet eens ja zeggen… Met een zucht duwde ik mezelf recht in mijn bureaustoel. 'Jesse had goed nieuws vandaag.' Ik keek kort naar mama, die verwachtingsvol terugkeek. 'Ken je dancing Arno's? Ze organiseren daar tegenwoordig ook party's voor jongeren.'

Tot mijn verwondering knikte mama. 'Ik heb er laatst iets over gehoord op de radio. De organisator is zelf nog piepjong. 't Schijnt een groot succes te zijn.' Mama klonk alsof ze het niet goed kon geloven, maar ik besloot dat te negeren en vertelde ijverig voort. 'Hun volgende party is aan het begin van de zomervakantie en ze zijn op zoek naar dansers voor op het podium, om de sfeer erin te brengen. Mogen dansen op het podium van een dancing. Zo goed dansen dat je mensen dóét dansen, hoe geweldig is dat?' Triomfantelijk keek ik mama aan.

'Redelijk geweldig, zou ik zo denken. Dus waarom loop je dan rond met het gezicht van een verzopen katje? Ben je niet gekozen?'

Ik haalde diep adem. Dit ging goed. Veel beter dan ik had verwacht. Dit ging bijna te goed om waar te zijn. 'Je moet auditie doen', vertelde ik. 'En dan kiest Jesse samen met de mensen van Arno's de zes beste dansers uit.'

'Ik hoor alleen maar goed nieuws, waar is de maar?' Ik beet op mijn lip.

'Ben je bang dat je niet gekozen zult worden? Schatje, je danst super. En wie niet waagt, niet wint.'

Dat laatste was beslist de nagel op de kop. Ik slikte de kriebels in mijn keel door en ging verder. 'De auditie is op zondag 10 juni, midden...'

'... in de examens', maakte mama de zin af. Het bleef een poosje stil. Ik tuurde naar de kantlijn van mijn wiskundeschrift, waar Eric vanmorgen in had zitten tekenen. Fronsend boog ik me voorover. Zag ik dat nu goed? Had Eric werkelijk hartjes in de kantlijn van mijn wiskundeschrift getekend? Die jongen had toch echt wel een tik van de molen gekregen!

'Ik zie het probleem niet.'

Ongelovig staarde ik mama aan. 'Je bedoelt dat je mij auditie laat doen voor het dansen, ook al is het midden in de examens?'

'Het is begin mei. Je hebt nog alle tijd om je examens voor te bereiden en daarnaast te oefenen voor de auditie. Je zult hard moeten werken, dat wel.'

'Dat is geen probleem. Ik kan vandaag nog een schema maken met studie-uren en uren om te oefenen voor het dansen. En ik kan reserves inbouwen, voor de zekerheid. Mag het echt, mama? Echt?'

'Het lijkt me een uitstekende gelegenheid om te zien of jij inderdaad met een schema kunt werken. Je weet waar je moet zijn als je tips wilt.'

Ik grijnsde. Mama maakte voor alles lijstjes. Ik was al blij als ik mijn lijstjes niet kwijt was voor ik het eerste item erop kon afstrepen.

'Ik ga mijn uiterste best doen. Dan moet het lukken', beloofde ik. 'Dus het mag echt?' Ik moest het gewoon nog een keer vragen, voor de zekerheid.

'Het mag echt. Op voorwaarde dat je schoolwerk er niet onder lijdt. Maar dat kun je zelf ook wel bedenken, toch?'

Voor ik er erg in had, kwam ik overeind en knuffelde mama plat. Het voelde vreemd vertrouwd aan om mijn hoofd nog een keer te begraven in het holletje naast mama's hals. Net zoals het kneepje dat mama me als aanmoediging in mijn nek gaf zo bekend voelde. Wat onwennig maakte ik me los uit de omhelzing.

Mama kwam overeind van het bureau en gaf nog een laatste klopje op mijn schouder. *'You go girl!'*

Dat klonk zo vreemd uit de mond van mijn eigen moeder. De schaterlach die al de hele tijd lag te borrelen op mijn lippen liep eindelijk over.

'You're piercing me.'
Katy Perry, Piercing

'Goedemorgen.' Met een stralende glimlach stond ik mijn beste vriendin de volgende morgen op te wachten aan het kruispunt.

'Morgen.' Zonder af te remmen om me te begroeten peddelde Charlot stug verder richting school.

Ik zette me recht op mijn trappers om haar bij te benen. 'Je zet er nogal vaart achter.'

Charlot antwoordde niet, maar bleef stevig doortrappen.

'Ik kan nog altijd niet geloven dat ze meteen ja hebben gezegd! Het was vast niet gelukt als papa erbij was geweest, die zegt gewoon nooit meteen ja. Ik moet voor een volgende keer onthouden dat ik beter eerst alleen met mama praat. En eigenlijk moet ik Sebas dankbaar zijn. Nu had mama al medelijden omdat hij me weer eens zat te pesten. Zal ik mama vragen of ze met tante Isabel wil praten? Ze kan je moeder vast wel overtuigen dat het dom is om jou niet te laten meedoen. Ik zal het studieschema meebrengen dat

ik gisteren heb gemaakt. Als je moeder dan nog niet
overtuigd is...'
Hoopvol staarde ik naar mijn vriendin, die zich
nog altijd met de blik strak vooruit door het verkeer
haastte. Charlot vloekte kort toen een bestelwagen
op het fietspad parkeerde en ons de pas afsneed,
maar verder kwam er geen woord over haar lippen.
Ik onderdrukte een zucht. Vijf berichtjes had ik haar
gisteren nog gestuurd. Eerst om haar te troosten en aan
te moedigen. Pas bij het derde berichtje had ik durven
te schrijven dat ik wel mocht van mijn ouders. Ik had
op geen enkele sms antwoord gekregen, dus bellen had
ik al helemaal niet gedurfd. Vanmorgen had ik mezelf
staan oppeppen voor de spiegel. Charlot had een nacht
de tijd gehad om alles te laten bezinken, nu moesten
we er toch op zijn minst over kunnen praten. Niet dus.
'Het is niet omdat ze nu nee zeggen dat ze niet meer
kunnen bijdraaien', probeerde ik opnieuw. 'Kijk maar
naar mijn ouders. Als ik hen maar duidelijk kan
maken dat het echt belangrijk is voor mij, dan geven
ze toch vaak toe. Uiteindelijk.'
'Ze gaan niet toegeven.' Charlot mompelde het tussen
haar tanden door. Ik moest mijn oren spitsen om haar
te horen boven het geraas van het verkeer.
'Hoe kun je daar nu zo zeker van zijn? Je hebt altijd
goede punten! Je studeert goed. Waarom zou je niet
tegelijk kunnen oefenen voor de auditie en studeren?'
'Daar gaat het niet om.' Ongeduldig kneep Charlot
haar remmen dicht en wachtte tot het licht op groen
sprong.
'Waar gaat het dan wel om?' Het werd groen. Ik
trok een sprintje om opnieuw naast mijn vriendin te
kunnen rijden.

'Ze willen niet dat ik naar een dancing ga.'
'Maar het is een tienerdancing! En het is een optreden.
We hebben toch al vaker op vreemde plaatsen
opgetreden? We zijn in groep, Jesse gaat mee. Wat kan
er nu gebeuren?' Ik schudde mijn hoofd. Het was niet
bij me opgekomen dat het een bezwaar zou kunnen
zijn dat we in een dancing dansten. We hadden al in
een haven gedanst tijdens een zomerkamp, hadden op
het podium gestaan van het stadsfestival met dronken
studenten aan onze voeten. Wat kon er ons dan in een
dancing overkomen?
'Veel, volgens mijn vader.' Het gezicht van Charlot
stond nu zo grimmig dat ik verschrikt zweeg. In stilte
reden we verder naar school.
'Ik moet naar het toilet.' Charlot gooide haar fiets op
de eerste de beste vrije plaats in de fietsenstalling.
Voor ik kon antwoorden, zag ik haar al in het
schoolgebouw verdwijnen. Ik deed er veel langer over
dan nodig was om mijn fiets op slot te doen, mijn
spullen bij elkaar te pakken en mijn gsm op stil te
zetten. Pas toen de zoemer voor de eerste les al ging,
haastte ik me het schoolplein op. Zonder nadenken
beende ik het lokaal door naar de middelste rij rechts,
waar ik altijd met Charlot zat tijdens Engels. Ik
rommelde in mijn pennenzak terwijl ik nadacht over
hoe we Charlots ouders zouden kunnen overhalen.
Misschien stelden ze zich iets helemaal verkeerds
voor bij een tienerdancing? Er werd geen alcohol
geschonken. En het waren ook geen party's die tot diep
in de nacht duurden. Had Charlot hen dat wel verteld?
Mijn gedachten werden onderbroken door een luide
bons van een zwarte rugzak die op het tafeltje naast
me neerplofte.

'Je kunt hier niet zitten, Eric. Charlot zit hier.' Geërgerd duwde ik de rugzak opzij.

'Ah? Tenzij jij nog iemand kent die Charlot heet, denk ik dat Charlot vandaag naast Tess zit.'

Ik volgde Erics vinger die naar de laatste rij wees. Charlot en Tess waren daar verwikkeld in iets wat leek op een heel vrolijk gesprek en Charlot maakte inderdaad aanstalten om naast Tess te gaan zitten. Ik keek ontsteld naar mijn vriendin. Waarom zou Charlot dat in vredesnaam doen? Ze wist toch ook hoe achterbaks Tess kon zijn? Vorige week nog had ze Jens verklikt toen die met zijn gsm probeerde te spieken. Niemand van de klas had begrepen waarom Tess niet gewoon had gezwegen. En toch ging Charlot nu naast Tess zitten. Terwijl ze me verdorie van Eric moest komen verlossen!

'Als je wilt, mag je mij het komende uur best aanspreken met Charlot.' Eric begon veel te hard te lachen terwijl hij zijn spullen op de tafel uitstalde. Voor ik een spits antwoord kon verzinnen, kwam mevrouw Decock, de lerares Engels, de klas binnen.

'Good morning, can I have your attention, please!' De hele klas boog zich even later over de eerste oefening die we moesten voorbereiden. Tegen beter weten in haalde ik nog een keer mijn rugzak overhoop. Hulpzoekend keek ik naar Charlot, die druk aan het schrijven was achter in de klas. Charlot nam altijd het boek van Engels mee. Ik zorgde voor biologie. Zo hadden we op woensdag een extra lichte tas.

'You've got a friend in me', neuriede Eric ondertussen naast me, zo luid dat het de lerares wel moest opvallen. Maar ze zei er niks van. Ik merkte nu pas op dat Eric zijn boek van Engels in het midden had gelegd, zodat ik makkelijk kon meekijken. Haastig begon ik aan de opgave.

'En dan wil ik jullie nog een opdracht meegeven voor over twee weken', kondigde mevrouw Decock op het einde van de les aan. 'Jullie werken per twee en gaan aan de slag met de opdracht onder aan pagina 89. Ik stel voor dat degene naast wie jullie nu zitten jullie partner is. Ik noteer even de namen.'
Ik onderdrukte een ontzette kreun. Zat ik nog met Eric opgescheept de komende twee weken ook! Haastig bladerde ik naar pagina 89. Een dialoog moesten we schrijven, met als thema 'een onverwachte ontmoeting'. En we werden gevraagd zo grappig en gevat mogelijk voor de dag te komen. Ik grijnsde zuur. Dat laatste kon voor Eric alvast geen probleem zijn. *'Goodbye, my darling!'* Met een overdreven diepe buiging nam Eric zijn boek van de tafel en vertrok naar het biologielokaal voor de volgende les. Haastig raapte ik mijn spullen bij elkaar. Nu moest ik straks nog eens naar Eric toegaan om af te spreken voor de opdracht! Een ding stond vast: deze dag kon onmogelijk nog erger worden dan hij begonnen was.

Tijdens biologie kwam Charlot wel weer gewoon naast me zitten.
'Wat moest je daarnet nu met Tess?' Hoofdschuddend keek ik mijn vriendin aan.
'Eric stond al naast jou en ik had geen zin in gedoe', maakte Charlot zich er snel van af.
Ik tuitte nadenkend mijn lippen. Was het zoveel gedoe om mij van Eric te komen verlossen?
'Gaat hij dat echt allemaal op het bord laten staan?'

Misprijzend bekeek Charlot meneer Mertens van biologie, die inderdaad geen aanstalten maakte om het bord schoon te vegen. De klas voor ons had net dezelfde les gekregen en Mertens vond duidelijk dat we maar wijs moesten raken uit alles wat hij daarnet op het bord had gekrabbeld.

Het stoorde me dat Charlot zo abrupt van onderwerp veranderde. Maar ik had ook geen zin in gedoe, dus praatte ik vlotjes mee. 'Ik hoor het hem zo dadelijk al zeggen: "Het staat hier ergens op het bord, jullie vinden het wel."'

'En léúk dat we het vinden.'

Ik barstte in lachen uit, al was Charlots opmerking nu ook weer niet zo grappig.

De rest van de voormiddag verliep zoals een normale woensdag en toen om twaalf uur de zoemer ging, liep ik dan ook vol voorpret naar de fietsenstalling.

Ik had vorige week met Charlot afgesproken dat we deze namiddag zouden gaan winkelen. Onze zomergarderobe aanvullen.

'Ben je er klaar voor?' grijnsde ik toen we allebei op onze fiets het schoolplein af reden.

'Ik heb niet veel nodig om klaar te zijn voor een middagje shoppen', grinnikte Charlot. Druk taterend slalomden we ons een weg door het verkeer naar het winkelcentrum.

'Ik wil een witte linnen broek en een zomerjurkje dat past bij mijn nieuwe sandalen', kondigde Charlot even later aan terwijl we onze fietsen aan een lantaarnpaal vastklikten. 'En jij?'

'Een nieuwe bikini en een zwart of blauw rokje', somde ik op. 'Maar eerst...' ik keek verlangend naar de broodjeszaak waar we voor stonden.

'... is het tijd voor een Silent Delight', vulde Charlot glimlachend aan. Genietend installeerden we ons even later op het terras met onze broodjes.

'Krabsla, gerookte zalm, sla en een cola... zo simpel kan het leven zijn.' Met een overdreven zucht draaide Charlot haar gezicht naar de zon.

'Eigenlijk zou het alle dagen woensdag moeten zijn', stemde ik in.

'Vijf dagen woensdag en dan weekend, dat lijkt me een perfecte regeling.' Met een grote grijns knabbelde Charlot aan haar broodje.

'Af en toe hebben we toch een dinsdag of een donderdag nodig. Wanneer gaan we anders dansen?' Charlot kwam overeind. 'Te veel cola gedronken, ik moet dringend naar het toilet.'

Peinzend bleef ik bij het tafeltje achter. Ik nam nog een hap van mijn Silent Delight, maar het broodje smaakte me niet langer. Charlot moest vandaag wel erg vaak naar het toilet.

'En, klaar om je slag te slaan?' Met een grote grijns kwam Charlot terug naar het tafeltje gelopen.

'Het zal nog niet.' Ik gooide het laatste restje van mijn broodje in de vuilnisbak en haakte mijn arm gezellig door die van Charlot. 'Laten we beginnen bij H&M. En eigenlijk wil ik ook op zoek naar lange oorbellen. Zo van die zilveren die lekker tinkelen.'

'Goed plan! Bij dat kleine, leuke winkeltje op de hoek vinden we vast wel iets.'

Twee uur later hadden we een witte linnen broek gevonden met allemaal pareltjes op de rand genaaid, helemaal iets voor Charlot. Ik had een donkerblauw rokje gekocht dat prachtig fladderde wanneer ik in het rond draaide. En nu stond ik te twijfelen over een bikini die heel erg mooi was, maar ook heel erg duur. 'Als ik die koop, kan het maar beter verschrikkelijk warm worden deze zomer. Ik ga geen geld meer hebben om me nog iets anders aan te schaffen.'

'Wat heeft een mens meer nodig in de zomer dan een bikini?' Charlot ging naast me voor de spiegel staan. 'Hij past je perfect en hij doet je ogen helemaal twinkelen. Hij heeft net dezelfde blauwgrijze kleur. Ik zou niet twijfelen.'

Ik keek nog een laatste keer naar het prijskaartje dat angstwekkend hoog bleef. Kon ik mijn garderobe van vorig jaar niet gewoon recycleren deze zomer? Als ik nu heel erg vaak ging zwemmen, een paar keer naar het strand ging… Dan was deze bikini zijn prijs toch helemaal waard?

'Lachen!' Charlot hield haar gsm omhoog en duwde haar gezicht naast dat van mij. Gezamenlijk grijnsden we naar het toestel.

'Zo. Nu heb je hem in elk geval digitaal.' Charlot klonk tevreden terwijl ze de foto op het schermpje bestudeerde. 'Ik stuur hem meteen door naar jou. Bekijk hem volgende woensdag nog eens. Als je de bikini dan nog altijd super vindt, komen we hem volgende week gewoon kopen. Deal?'

'Deal.' Ik sloeg tegen de opgestoken hand van Charlot en haastte me naar het pashokje.

Terwijl ik me weer in mijn rokje wikkelde, bedacht ik dat niemand me zo goed kende als Charlot. Mama zou hebben gezegd dat ik gewoon de voors en de tegens moest afwegen en dan een keuze moest maken. Papa zou hebben gesnoven bij de prijs en hebben opgemerkt dat hij voor dat geld drie zwembroeken kocht. Alle drie minstens even mooi.

In een impuls stak ik mijn hoofd om het gordijn van

het pashokje. 'Dat heb je goed opgelost! Ik trakteer op milkshake.'

'Daar zeg ik geen nee tegen.' Charlot zwaaide met een flesje zilverkleurige nagellak. 'Maar eerst zijn onze nagels nog aan de beurt.'

Keurend hield Charlot haar hand voor haar gezicht nadat ik drie nagels had gelakt. 'Het staat me wel.'

'Het staat je prachtig', kwam een winkeljuffrouw zich ermee bemoeien. 'Waarom probeer je de rest van je nagels ook niet?'

'Mag dat dan?'

'Tuurlijk, het is toch een tester. En ik zeg dat het mag. Jonge meiden moeten worden aangemoedigd om make-up te proberen, anders heb ik over een paar jaar niks meer te doen.' De winkelbediende knipoogde en verdween achter een rek vol parfum.

Charlot grinnikte naar me. 'Als je eerst bij mij verder lakt, dan doe ik nadien die van jou.'

Charlot trok net het laatste streepje zilver op mijn pink toen de beveiligingsagent kwam aanwandelen.

'Wordt er ook nog iets gekocht, dames?'

'We zijn nog aan het testen, de winkeljuffrouw zei dat het mocht.' Charlot wapperde omstandig met haar handen om haar nagels sneller te laten drogen.

'Welke winkeljuffrouw?' De agent keek wantrouwig om zich heen.

'Ze staat daar bij de parfumflesjes', wees ik. Maar er stond niemand meer bij de parfumafdeling.

'Dit is een winkel, die dient om dingen te kopen.' De agent sloeg zijn armen nu over elkaar.

'Maar er staat toch "tester" op het flesje?' wees ik. 'We doen heus geen flesjes open die bedoeld zijn om te verkopen.'

'Met twintig nagels hebben jullie wel voldoende getest.' De agent griste het flesje uit mijn handen en trok daarbij een zilveren streep op de rand van zijn donkerblauwe mouw.

'We zijn niet tevreden over de droogtijd. En u waarschijnlijk ook niet', antwoordde Charlot met een stalen gezicht terwijl ze naar de zilveren streep op het keurige blauw keek. Voor de man nog meer kon zeggen, trok Charlot me aan mijn arm mee de winkel uit. Pas op de hoek van de straat durfden we het uit te gieren.

'Heb je zijn gezicht gezien? Ik denk niet dat we daar snel make-up gaan kopen! Jammer voor die aardige winkeljuffrouw!' Ik leunde naar achteren om naar adem te happen.

'Nu heeft hij je nagel nog verknoeid ook.' Charlot boog zich over mijn rechter wijsvinger waar een gekke golf in was getrokken door de mouw van de winkelbediende.

'Ik haal het er thuis wel weer af.'

Charlot hield haar handen bewonderend voor zich.

'Ik laat het erop. Het bevalt me wel. Ik maak gratis reclame voor die winkel door de nagellak te showen, maar denk je dat die man daarbij stilstaat?'

Ik grinnikte. 'Misschien moet je toch nog een keer teruggaan om hem dat uit te leggen.'

Charlotte snoof. 'Dat zou je wel willen! Komaan, ik heb zin in die milkshake die je me beloofd hebt.'

Ik volgde mijn vriendin in de richting van ons favoriete ijskraam. Even later zaten we op een bankje in de zon, mensen te kijken en te slurpen van onze bananenmilkshake met chocoladesaus. Onze zilveren nagels blikkerden in het zonlicht elke keer dat we bewogen. Stiekem vond ik het toch jammer dat een van mijn nagels zo verknoeid was dat ik de lak er straks al zou moeten afhalen.

'Dit was een goed idee van jou.' Charlot slurpte genietend van haar milkshake.

Ik knikte, slikte drie keer voor ik de woorden uit mijn keel kreeg. Maar ik moest het nog een keer proberen en dit leek me een goede gelegenheid. 'Zal ik vanavond aan mama vragen of ze met jouw moeder wil praten over de auditie?'

'Wat ga je eigenlijk met Eric doen?'

Verward staarde ik mijn vriendin aan.

'Wel? Wat ben je van plan?' Charlot keek me zo nadrukkelijk aan dat ik haar vraag niet kon negeren.

'Hoe bedoel je: wat ga ik met Eric doen?'

'Die jongen loopt bijna als een schoothondje achter je aan de laatste tijd.'

Ik moest lachen bij die gedachte. Als ik me Eric al als een hond voorstelde, dan was dat beslist geen klein geval. Eerder een Deense dog of zo.

'Hij is gewoon gek, dat weet jij toch ook? Hij houdt ervan om op te vallen, mensen op stang te jagen...'

'Gek op jou is hij, ja!'

Charlot keek me veelbetekenend aan en ik voelde tot mijn grote ergernis dat mijn wangen kleurden. Ik nam de tijd om het laatste restje milkshake uit mijn beker te zuigen. 'Laten we maar eens naar huis gaan.' Zonder op reactie van Charlot te wachten, kwam ik overeind. Als mijn vriendin vragen mocht negeren, dan mocht ik dat ook.

♫ 'I go ahead and smile.'

Lily Allen, Smile ♪

'Nog tien tellen volhouden. Zeven, zes, vijf...' begon Jesse af te tellen. Kreunend spande ik mijn buikspieren voor een laatste keer op, om me bij één met een diepe zucht op de grond te laten zakken.

'Je bent een beul, Jesse!' protesteerde Suze. 'Een heel nummer lang buikspieroefeningen!'

'Maar jullie hebben het allemaal volgehouden! Zijn jullie nu niet trots op jezelf? Of moet ik jullie het belang van buikspieren nog eens uitleggen? Sterke buikspieren maken dat je recht en sterk in het leven staat. En ja, het kost moeite om die te krijgen en te onderhouden. Maar dat toont ook meteen dat je een vechter bent, een volhouder. Iemand die er helemaal voor wil gaan. Oefen eens een maand lang elke dag je buikspieren en kijk wat er allemaal verandert in je leven. Dan zullen we nog eens praten.'

Ik liet de woorden langs me heen kabbelen en staarde ondertussen naar mezelf in de spiegel. Ik zag een rood gezicht, zweetvlekken onder mijn oksels en haren die alle kanten op piekten. Echt het toonbeeld van een vechter en een volhouder.

'En kom maar weer overeind.' Jesse klapte in zijn handen. De rest van de les brachten we door met het oefenen van de eerste acht tellen van Jesses nieuwe choreografie.

'Komaan, meiden! Jullie willen niet voor gek staan wanneer het publiek komt kijken. Luister naar het nummer, geloof erin! Geef je over!'

Ik kneep mijn ogen dicht om mijn verhitte spiegelbeeld niet langer te zien en probeerde voor de zoveelste keer de ingewikkelde draai te maken die Jesse had bedacht, zonder over mijn eigen voeten te struikelen. Twee passen vooruit, flex, draai, draai, stap naar links, zak en buig naar achteren. Triomfantelijk stelde ik vast dat ik dit keer niet stond te wankelen op mijn armen om mezelf overeind te houden terwijl ik achterover leunde. Het ging me warempel echt nog lukken om dit onder de knie te krijgen!

'Dat proberen we nog een keer!'

Dit keer keek ik mijn spiegelbeeld recht in de ogen terwijl de stem van Lily Allen mijn hoofd vulde en ik met radde bewegingen de eerste acht tellen van de dans uitvoerde.

'Zo moet het, Nore! Prachtig!'

Ik lachte mijn tanden bloot bij de lof van Jesse. Soms kon ik het dansen vervloeken. Heel soms kon ik me zelfs afvragen waarom ik het allemaal deed. Maar de voorbije acht seconden, waarin het heel even werkelijk leek alsof ik samenvloeide met de muziek, en dan nog de lof van Jesse die dat bevestigde... Dat was alles wat ik nodig had om weer helemaal te beseffen waarom ik dit zo graag deed.

Neuriënd liet ik me naast Charlot op de grond zakken om te stretchen.

'Strek die spieren!'

Genietend rekte ik mijn vermoeide kuiten.

'En dat was het voor vandaag', besloot Jesse een paar minuten later. 'Ik heb hier een blad klaarliggen. Kan iedereen die deelneemt aan de auditie voor Arno's daar zo dadelijk zijn naam opschrijven? Volgende week vrijdag oefenen we de choreografie. Zorg dat je die avond alvast vrijhoudt.'

Ik durfde niet opzij te kijken, maar dat hoefde ook niet. Ik kon zo voelen hoe Charlot naast me verstijfde en omstandig haar veters dicht begon te strikken, ook al was dat helemaal niet nodig. Tot mijn verbazing hadden de meesten toestemming gekregen van thuis, want iedereen stormde op de lijst af. Alleen Suze vertrok op hoge poten recht naar de kleedkamer.

Het eerste wat door mijn hoofd schoot, was dat de grootste concurrent daardoor meteen was uitgeschakeld. Ik voelde me een slecht mens en schudde mijn hoofd om de gedachte te verjagen. Ik kwam overeind en stak mijn hand uit om Charlot recht te trekken. 'Waarom schrijf je jezelf ook niet op? Je kunt altijd nog zeggen dat je afhaakt. Dan heb je in elk geval de choreografie al gezien. En je ouders draaien wel bij, dat kan niet anders.'

'Hé, Joke, wat heb jij toffe oorbellen aan. Waar heb je die gevonden?' Charlot krabbelde overeind en draaide mij in dezelfde beweging de rug toe.

Met op elkaar geknepen lippen keek ik hoe mijn beste vriendin inhaakte bij Joke, die zichzelf als eerste op de lijst had gezet, en druk babbelend richting kleedkamer vertrok. Als laatste krabbelde ik met nijdige hanenpoten mijn naam op de lijst.

'Fijn dat je meedoet, Nore. Ik kijk uit naar je prestatie!'
Die twee zinnen van Jesse waren voldoende om mijn
mondhoeken zo ongeveer tot aan mijn oren te laten
krullen. Ondanks mijn pijnlijke kuiten zweefde ik
op wolkjes naar de kleedkamer. Jesse keek uit naar
mijn prestatie! Daar konden de anderen een puntje
aan zuigen. Toch stak het toen ik de kleedkamer
binnenkwam en zag dat Charlot al vertrokken was.
Ik haalde mijn schouders op. Geen reden om me te
haasten dan. Op mijn gemak begon ik mijn schoenen
uit te trekken. Ik checkte mijn gsm op binnengekomen
berichten en zag tot mijn verbazing dat Eric me een
sms'je had gestuurd.

*Hoi Nore, past dinsdag om af te spreken? Donderdag kan
voor mij ook. See you! Eric*

Verward stopte ik mijn gsm terug in mijn tas. Wat
dacht Eric eigenlijk? Hij ging er gewoon van uit dat ik
met hem wilde afspreken. Het was niet eens een vraag.
Het was toch echt wel een vreemde snuiter. Ik trok een
schoon shirt aan. Ik kon Charlot al horen schateren bij
het nieuws. 'Zie je wel! Zie je wel!' zou mijn vriendin
uitroepen. Ik zocht naar mijn fietssleutel en verliet als
laatste de kleedkamer. Heel even hoopte ik nog dat
Charlot bij de fietsen op me zou staan wachten. Maar
natuurlijk was dat niet zo. Ik haalde mijn schouders
op. Pech voor Charlot, want zo miste ze ook het laatste
nieuws over Eric. En over Jesse. Mijn gezicht klaarde
opnieuw op. *At worst I feel bad for a while. But then I just
smile. I go ahead and smile.* Neuriënd fietste ik naar
huis.

5

*'Come and dance to the music of the sun.
Forget about your troubles, it's alright.'*

Rihanna, Music of the sun

'Zeg, heb je mijn berichtje gisteren ontvangen?' Eric
liet er de volgende morgen geen gras over groeien. Van
zodra ik het schoolplein op stapte, kwam hij op me af.
Ik zocht hulp bij Charlot, maar die maakte zich er met
een veelbetekenende blik naar mij en een zwaai van af
en vertrok in de richting van een groepje klasgenoten.
'Ja. Maar Eric...' Ik aarzelde. Hoe moest ik dit zeggen?
Ik vond Eric misschien een beetje leuk. Maar dat was
echt wel alles. Hij was te vreemd. Te Eric.
'Ik heb dinsdag en donderdag dansles', begon ik
uiteindelijk opnieuw.
'Oh. Nou, woensdagnamiddag moet voor mij ook wel
lukken.'
Ik schudde mijn hoofd. 'Eric...'
'Ik heb al zitten denken wat voor soort ontmoeting we
kunnen nemen. Wat denk je van twee vreemden die
naast elkaar op de trein zitten? Of twee oude vrienden
die elkaar plots terugzien in de winkel of zo?'
Terwijl Eric bleef tateren, begon het mij eindelijk te

dagen. 'Je wilt afspreken voor Engels.'

'Ja, zo heel veel tijd hebben we nu ook weer niet om die opdracht te maken. Hoe had jij het anders begrepen?' Erics gezicht brak open in een brede grijns. 'Je dacht aan een afspraakje? Je bent me er wel eentje, Nore! Maar ik wil best kaarsen op tafel zetten hoor, als je dan liever komt.'

'Natuurlijk moeten we afspreken voor Engels. Woensdagnamiddag is prima. En twee vreemden die naast elkaar op de trein zitten, daarmee kunnen we zeker iets mee doen. Dat de trein dan stilvalt of zo, waardoor ze er veel langer op blijven zitten dan de bedoeling was.' Met vuurrode wangen probeerde ik door het ongemakkelijke moment heen te praten. Dat kwam er nu van! Charlot die allerlei dingen suggereerde die helemaal niet waar waren, ik die dat tegen beter weten in geloofde. En nu zat ik hier met de gebakken peren. 'Wel, volgende week woensdag dan, tegen twee uur bij mij thuis. Ik sms je het adres nog! *Hasta la vista, baby*!' Met een vette knipoog verdween Eric tussen een groepje zesdejaars.

Ik bleef nog even staan, tot ik zeker wist dat het rood op mijn wangen gezakt was. Ik ging naast Charlot lopen, op weg naar ons lokaal.

Ze blies. 'Wat moest hij van je? Ik snap echt niet dat je tijd in die jongen wilt steken. Of vind je hem stiekem toch wel leuk?'

'Hij wilde afspreken voor die opdracht voor Engels.' Ik rommelde in mijn tas om te verbergen dat mijn wangen opnieuw rood werden als ik terugdacht aan de flater van daarnet, door Charlots schuld.

'God ja, die moet ik ook nog maken! Waar is Tess?' Opgelucht zag ik Charlot in de richting van Tess vertrekken.

'Zin om het weekend in te luiden met een ijsje onder de notenboom? Mama heeft gisteren een nieuwe doos vanille-ijs meegebracht. En er zijn aardbeien.' Vragend staarde ik Charlot aan terwijl we onze boeken na het laatste lesuur van de vrijdag – wiskunde! – terug in onze tas propten. We gingen elke vrijdag samen naar huis. De ene keer trokken we naar Charlot thuis, de andere keer naar mij. Het was maar wat er het beste uitkwam. Het was al jaren een traditie. Dus ook al was ik nog altijd pissig op Charlot omdat ze zich zo kinderachtig had gedragen in de dansles, niet voorstellen om samen aan het weekend te beginnen was eigenlijk niet eens in me opgekomen. En daar leek Charlot hetzelfde over te denken, want ze antwoordde: 'Daar zeg ik geen nee tegen.'

'Zelfs Sergio Herman kan niet beweren dat deze smaken niet juist zitten', bromde Charlot een halfuurtje later en ze stak haar lepel diep in haar kom om een nieuwe lading ijs met aardbeien op te scheppen.
'Dit is zomer', knikte ik instemmend. Ik stak mijn benen voor me uit en bestudeerde mijn kuiten die nog angstwekkend bleek waren. 'Hoog tijd om wat bij te bruinen.'
'Dat moet dit weekend zeker lukken', knikte Charlot. 'Het wordt weer tropisch warm. Zullen we morgen gaan zwemmen? Heb je eigenlijk al nagedacht over je bikini?'
Ik knikte als antwoord op de twee vragen. 'Ik bekijk de foto pas woensdag en dan beslis ik ook meteen. Anders blijf ik erover nadenken. Zo goed ken ik mezelf wel.'
Charlot gleed met haar vinger langs de rand van haar kom om de laatste restjes ijs te verzamelen. 'Je hebt

gelijk. Alleen jammer als je dan toch besluit hem te kopen. Dan mis je morgen al een kans om hem te showen.'

'Er zullen nog wel kansen komen', vond ik. Ik zwaaide naar Sebastiaan, die op het terras verscheen.

'Zet je erbij', wees Charlot. 'We hebben nog wat ijs voor je overgelaten.'

'Wel ja, een beetje dan.' Sebastiaan schepte zijn kom vol en liet zich met een luide plof naast mij op een stoel vallen. In sneltreinvaart begon hij zijn ijs naar binnen te werken.

'Is dat een nieuw T-shirt, Sebas?' Ik bekeek het nauwsluitende, donkerblauwe shirt dat mijn broer droeg wat beter. Het suggereerde spieren waarvan ik geen idee had gehad. 'Een heel andere stijl dan we van je gewoon zijn.'

'Mag ik dragen wat ik wil, ja? Je bent mijn moeder niet.' Sebastiaan kwakte zijn lege kom terug op de tafel.

'Oh, maar als je nood hebt aan een extra moeder willen we graag helpen hoor', kwam Charlot tussen. 'Zullen we je kamer controleren op sigaretten? Kijken of er geen onderbroeken onder het bed slingeren?'

'Jullie blijven uit mijn kamer!' Sebastiaan klopte op tafel om zijn woorden kracht bij te zetten.

'Rustig maar, de boodschap is duidelijk. Je hebt al een moeder.' Ik trok verwonderd een wenkbrauw op. Nu had Sebastiaan toch wel een heel kort lontje!

'Waarom moeten jullie altijd overal je neus insteken?' Sebastiaan kwam zo snel overeind dat zijn stoel met een klap omviel tegen de notenboom. Zonder om te kijken, beende hij terug naar binnen.

'Die heeft iets te verbergen.' Charlot klonk beslist

terwijl ze de omgevallen stoel overeind trok.

'Denk je?' Ik keek mijn broer twijfelend na.

'Ik weet het wel zeker. Oké, hij kan zich als een etter gedragen. Maar je was bezig hem een compliment te geven over zijn shirt en hij ziet dat als een aanval?'

'Nou ja, compliment...' mompelde ik. Het was waar dat Sebas er goed uitzag in zijn nieuwe shirt, maar ik betwijfelde of ik hem dat ook verteld zou hebben.

'En dan zijn reactie toen ik het over het controleren van zijn kamer had. Er is daar iets dat het daglicht niet verdraagt.' Charlot rolde met haar ogen om haar toch al dramatische woorden nog te ondersteunen.

Ik wreef nadenkend langs mijn neus. Over Eric had Charlot even zeker van haar zaak geklonken. Maar er was wel niks van waar. Ik had weinig zin om me vandaag nog eens zo belachelijk te maken.

'Hij heeft in elk geval de iPad hier gelaten, kan ik mooi even mijn mail checken.' Ik opende mijn gmail-account en zag dat ik maar één nieuw bericht had, van Jesse.

Moet je proberen! Volgende week doen we 't samen! luidde de titel. In de mail zelf stond alleen een link naar YouTube. Nieuwsgierig klikte ik door, terwijl Charlot over mijn schouder ging leunen om mee te kijken.

'Waar blijft hij het vinden!' Schaterlachend bekeek ik samen met Charlot het videoclipje waarin een niet al te magere Koreaan van in de dertig zijn perfecte conditie toonde in een bijzonder idioot maar evengoed heel erg meeslepend dansje. Als je het zag, moest je het zelf gewoon een keer proberen.

'Het lijkt wel alsof ze al paardrijdend met een lasso gooien.' Hoofdschuddend keek Charlot verder. 'Hoe verzinnen ze het!'

'Het is in elk geval aanstekelijk, dat is wel het minste dat je kunt zeggen. En moet je kijken hoeveel keer het al bekeken is!' Ik wees naar een ontstellend hoog getal in de rechterbenedenhoek. 'Dit is gewoon een internethit.'

Charlot klakte waarderend met haar tong. 'Het is best geniaal, niet? Het ziet er heel veel show uit, maar het is niet zo'n moeilijk dansje. Ik wed dat Jesse groen werd van jaloezie toen hij de choreografie voor het eerst zag.'

'Denk je? Jesse die het zijn dansers makkelijk wil maken?' Ik grijnsde en kwam overeind. 'Laten we het eens proberen.'

Charlot wierp een korte blik over de heg in de richting van de tuin van de buren. Daar was nog niemand thuis. 'Komaan. We moeten toch een keer geoefend hebben voor we het samen met Jesse dansen!'

Ik zette de iPad schuin tegen de kan met water en startte het filmpje opnieuw, het volume een stuk luider nu. Charlot sputterde niet langer tegen, maar begon hardop af te tellen naar het begin van de dans '... zes, zeven, acht!'

De eerste zestien tellen was ik aan het knoeien, maar daarna had ik de danspassen wel door en ging het een stuk vlotter. Op het einde van het nummer hopten Charlot en ik als volleerde cowgirls met lasso door de tuin. De muziek stierf weg en werd overstemd door applaus vanaf het terras.

'Het is wel duidelijk wie er hier op danslés zit', merkte papa droogjes op.

Ik stak mijn tong uit als antwoord.

'Dat is toch die nieuwe internetsensatie? Die dans die dé zomerhit belooft te worden?' Mama knikte naar het YouTube-filmpje.

'Jij kent het, tante Sanne?' Verwonderd staarde Charlot naar mama.

'Collega's op het werk hadden het erover. Dat filmpje is al heel de wereld rondgegaan.'

'Te gek om dood te doen', schudde papa zijn hoofd na een blik op het scherm. 'Maar het is hier wel zalig in de schaduw. Hier heb ik de hele dag naar uitgekeken!'

Ik reikte papa de kan met water, ijsblokjes en schijfjes citroen aan terwijl mama haar sandalen uitschopte en genietend haar tenen in het gras krulde.

'Het perfecte weer voor de eerste barbecue van het seizoen. Blijf je eten, Charlot? Ik heb zelfs marshmallows meegebracht die we kunnen roosteren als dessert.'

'Graag, tante Sanne!' Opgetogen greep Charlot naar haar gsm. 'Wel even naar huis bellen!'

Even later stond ik in de keuken sla te wassen terwijl Charlot de tomaten sneed en mama het rooster van de barbecue alvast invette.

'Leuk, zo'n barbecue. Maar het is toch altijd meer werk dan je denkt. Waar is Sebas? Dan kan die de barbecue alvast aansteken. Als we moeten wachten tot papa klaar is met zijn geheime aperitief, is het negen uur voor we kunnen eten.'

'Sebas zit op zijn kamer.' Ik gooide de gewassen sla in de slazwierder en begon ijverig te draaien. 'Het is me een raadsel hoe hij het daar met deze temperaturen uithoudt.'

'Roep je hem even?'

Ik trok de deur van de gang open en gilde de naam van mijn broer in het trapgat. 'Sebastiaan! Seeebasss!'

'Ja!'

'Kom je de barbecue aansteken?'

Er klonk een hoop gerommel en gestommel, het geluid

van een sleutel die werd omgedraaid en dan klonk de stem van mijn broer in de hal. 'Ik kom eraan, momentje.'

Met gefronste wenkbrauwen keerde ik terug naar mijn sla. Ik had het vast verkeerd gehoord. Waarom zou Sebastiaan zijn kamerdeur op slot doen? Al helemaal wanneer hij zelf in zijn kamer zat?

Ik werd afgeleid door Charlot, die me pijnboompitten en glanzende zwarte olijven in de handen duwde voor de salade. 'Dit wordt smullen!'

En dat werd het. Met een rozig gevoel van tevredenheid prikte ik rond een uur of tien mijn vijfde marshmallow op een stokje en hield dat boven de nasmeulende barbecue. Mijn buik stond bol van al het eten dat ik al naar binnen had gewerkt, maar ik kon het niet laten. Het was te leuk om te kijken hoe het rozewitte snoepje langzaam bruin kleurde en een knapperig korstje kreeg. En het was elke keer weer spannend om het juiste moment uit te kiezen. Het moment waarop de buitenkant knapperig was, maar de binnenkant heerlijk zacht, plakkerig en lopend. Ik likte het zoet uitgebreid van mijn vingers en schonk daarna mijn glas nog eens vol om alle plak weg te spoelen uit mijn keel.

'Misschien wil Charlot blijven slapen, het is ondertussen al halfelf', merkte mama op terwijl ze papa's hand omhoogduwde voor die zijn marshmallow in vlammen liet opgaan.

'Ja, dat is wel handig, tante Sanne', knikte Charlot. 'Ik stuur snel een sms naar mama.'

'Slaapwel', wenste ik mijn ouders wat later goedenacht, nadat ik samen met Charlot de laatste borden naar de keuken had gebracht. Ik trok naar boven om Charlots matras te installeren terwijl zij in de badkamer verdween. We hadden allebei een tandenborstel en pyjama bij elkaar liggen. Ik hoefde alleen maar de extra matras onder mijn eigen bed vandaan te trekken en het beddengoed op te schudden en Charlot had een bed voor de nacht. In nachthemd zat ik even later te wachten tot Charlot met gepoetste tanden van de badkamer terugkwam.

'Jij boft toch maar met je ouders.'

Verwonderd peuterde ik een denkbeeldig stofje van mijn dekbed. 'Hoezo? Jouw vader bakt op maandagmorgen pannenkoeken en rijdt een uur naar de zee, alleen maar om daar een ijsje te gaan eten.'

'Dat bedoel ik maar. Pannenkoeken bakken. Alsof ik nog in de kleuterklas zit.' Charlot klakte met haar tong.

Ik zweeg. Het leek mij nog altijd fijn om een vader te hebben die op maandagmorgen pannenkoeken bakte. Die van mij kon nog geen ei klaarmaken zonder het te laten aanbranden.

'Laten we Jesses internethit nog een keer bekijken. Ik wil het nog eens proberen', stelde Charlot vervolgens voor. 'Geef toe, het is een zalige dans. Die moeten we gewoon kunnen! En we moeten een beetje indruk maken op Jesse volgende week!'

Ik startte YouTube op mijn computer. Het was niet makkelijk om stil te lachen, maar we probeerden het terwijl we als fanatieke cowgirls rond de matras sprongen. Sebastiaan bonkte maar één keer waarschuwend op de muur dat we te veel lawaai maakten. Het was één uur voor ik uiteindelijk met tintelende polsen mijn bed in kroop. Ik wist zeker dat ik in mijn slaap nog met een denkbeeldige lasso zou zwaaien.

🎵 'Everybody's gonna love today,
gonna love today, gonna love today.'

Mika, Love today 🎵

'To bikini or not to bikini?' Met een brede grijns keek
Charlot me de volgende woensdagmiddag van over het
stuur van haar fiets aan.
'To Eric, I'm afraid', antwoordde ik. 'We hebben zo
dadelijk afgesproken om aan die taak van Engels te
werken. Als het niet te lang duurt, laat ik je iets weten.'
'Dus je gaat hem wel kopen?'
Ik haalde mijn schouders op.
'Heb je de foto al opnieuw bekeken?'
'Vanmorgen.'
'En?'
'Het is nog altijd een mooie bikini.'
'Wel dan? Het is zomer, nietwaar. Het is minstens
vijfentwintig graden als je het mij vraagt.' Charlot
knikte naar alle mensen die in shorts en rokjes
voorbijkwamen.
'Dus misschien ga ik hem straks inderdaad kopen. Ik
weet het gewoon nog niet. Het blijft veel geld. Ik laat je
iets weten, oké?'

'Oké. Misschien tot straks dan. Veel plezier bij Eric!'
Met een grote smile gooide Charlot zich in het drukke
verkeer van woensdagmiddag. Ik wilde me net ook
afzetten op mijn trappers, toen mijn gsm piepte met
een nieuwe sms.
*Breng je zwembroek mee. We hebben een zwembad en 't is
er 't weer voor! Tot zo, Eric*
Peinzend tikte ik met mijn vingernagels tegen mijn
fietsstuur. Ik staarde een poosje naar een groepje
jongens wat verderop die probeerden op een wiel
te rijden. Er was er maar een die erin slaagde een
meter ver te komen. Ik zag hoe meneer Vanwunsel,
onze leraar wiskunde, zich een weg baande naar het
groepje.
Oké, tot zo, stuurde ik uiteindelijk terug naar Eric.
Daarna klom ik op mijn fiets. Ik ging niet richting
huis, ook al rommelde mijn maag van de honger
en had mama een verrukkelijke koude pastaschotel
klaargezet. In de plaats daarvan haastte ik me terug
naar de winkel van de bikini. Als de bikini er nog
altijd was in mijn maat, dan zou ik hem kopen. Zoveel
had ik ondertussen wel besloten. Het zweet droop over
mijn schouderbladen terwijl ik de winkel in rende. Heel
even moest ik me oriënteren tussen alle rekken met
zomerjurkjes, pareo's en zonnehoeden.
Maar daar hing hij te blinken: nog altijd even mooi.
Dé bikini. En hij was er ook nog altijd in mijn maat.
Passen? Ik aarzelde even bij de spiegel, maar mijn
maag maande me aan er vaart achter te zetten. Ik had
eten nodig, en snel! Trouwens, ik wist dat de bikini
paste. Meer nog: hij stond me fantastisch. Plechtig
overhandigde ik het kledingstuk aan de verkoopster,
die met geroutineerde bewegingen het alarm losklikte,

de kapstok weggooide en de bikini in een felgekleurd kartonnen zakje stopte. Ik moest nog altijd even slikken van het bedrag dat op het display van de kassa verscheen, maar ik overhandigde mijn bankkaart zonder verpinken. *Live now, die later,* zeggen de Engelsen toch?

Met een rood hoofd donderde ik een halfuur later de keuken binnen.

'Ik zou kunnen vragen: waar heb jij gezeten? Maar dat doe ik natuurlijk niet', grijnsde Sebastiaan van achter de iPad. 'Je hebt geluk, ik heb nog wat pastasalade overgelaten.'

Teleurgesteld staarde ik naar het restje dat nog op de bodem van de kom lag. 'Heel attent van je Sebas, echt!'

'Hoe kon ik weten of je überhaupt nog zou opdagen? Dit spul is te lekker om slecht te laten worden!'

Zonder te antwoorden haalde ik een vork uit de besteklade en prikte de rest van de salade rechtstreeks uit de kom. Ik klokte een halve liter koud water naar binnen, zag op de keukenklok dat het al twintig voor twee was en rende de trap op. Het was minstens een kwartier fietsen voor ik bij Eric was. Ik griste snel een notitieblok en een pen van mijn bureau, haalde een handdoek en een fles zonnemelk uit de kast van de badkamer en propte alles in mijn rugzak. Even twijfelde ik of ik nog iets anders zou aantrekken. Ik voelde het zweet langs mijn rug naar beneden lopen en ik wist dat mijn rok onelegant aan mijn billen kleefde. Maar als ik me nu nog zou omkleden, was ik zeker te laat. Dan maar overvloedig deo spuiten onder mijn oksels, dat moest voldoende zijn. En als we snel een duik in het zwembad zouden nemen, was het probleem meteen opgelost.

Buiten adem fietste ik een kwartier later de
Dennenboslaan in. Onder de indruk staarde ik
naar de enorme huizen die ik passeerde. Er had een
belletje moeten gaan rinkelen toen Eric zei dat hij
een zwembad had. Het was vast niet zo'n blauw
opzetzwembad dat in de achtertuin was gepropt.
Maar nee, ik had alleen maar aan mijn bikini
gedacht. Nummer 14 moest ik hebben. Ik kneep mijn
remmen dicht en slalomde naar de oprijlaan van
een strakke, witte villa die half verscholen lag achter
een gigantische eik. Ongemakkelijk maakte ik mijn
fiets vast aan de lage bamboehekken die de oprijlaan
omringden. Dat zou toch wel mogen? Ik keek even om
me heen. Nergens anders was een fiets te bekennen.
Ik trok mijn rok recht, duwde mijn bezwete haar
uit mijn gezicht en drukte vervolgens op de bel.
De enorme voordeur zwaaide meteen open, alsof
Eric erachter had staan wachten. 'Kom binnen, de
ventilator staat klaar.'
'Zalig!' Ik volgde Eric naar de achterkant van het
huis. We liepen door een strakke woonkamer met een
grote, glazen wand die uitgaf op een tuin waarin elk
grassprietje keurig in het gelid gekamd leek. Ook in de
open keuken was er een grote glazen wand die uitzicht
gaf op de tuin, maar ik zag nergens een zwembad.
Ik frummelde aan het haar dat onder in mijn nek bij
elkaar klitte door het zweet en zocht verlangend naar
het fonkelende blauwe water.
'Nemen we eerst een duik? Of gaan we toch maar eerst
werken?'
Ik rukte mijn blik los van de tuin. 'Beter eerst werken',
zuchtte ik. Anders kwam er van dat werken niks meer
in huis. Zo goed kende ik mezelf wel.

'Oké. Wat wil je graag drinken?'

'Water is prima.'

Ik keek toe hoe Eric met een glas naar de Amerikaanse koelkast in de hoek van de keuken liep. De ijsblokjes rinkelden vrolijk in het glas en even later begon ook het koude water te lopen.

'Dank je wel.' Ik nam het glas aan van Eric en dronk voorzichtig een slokje terwijl hij voor zichzelf ook een glas vulde. Ik begon te begrijpen wat de uitdrukking over een olifant in een porseleinwinkel betekende. Eric paste totaal niet in deze strakke, witte designkeuken. Onwillekeurig dacht ik aan onze keuken thuis. Aan het houten blad vol vlekken van tomatensaus en te hete potten die er niet meer uitgingen. De koelkast die vol hing met foto's, folders, todolijstjes, recepten en telefoonnummers en die altijd uitpuilde van al het eten dat mama erin wilde stoppen, alle restjes die nog van pas zouden komen. Aan de berg tijdschriften op de rand van de keukentafel die ooit eens gelezen moesten worden. Ik draaide me om, op zoek naar een prikbord of iets dergelijks. Maar het enige wat ik vond, was een abstract, groen kunstwerk op de ene vrije wand die de keuken rijk was. Geen foto's. Geen persoonlijke spullen. Niks, eigenlijk.

'Heb jij nog broers of zussen?' Ik zette me wat rechter op de kruk aan het keukeneiland.

'Nee. Ik was voldoende. Twee carrièretijgers als ouders en dan krijg je dit.' Eric wees om zich heen. Hij glimlachte, maar zijn ogen deden niet mee. Daar ging ik vanaf nu op letten, besloot ik impulsief. Want Eric liep dan wel de hele tijd te schateren, maar hoe vaak lachten zijn ogen ook mee?

'Laten we er maar eens aan beginnen. Heb jij ideeën?'

Ik schoof mijn glas opzij en haalde pen en papier boven. 'Misschien kunnen we een hete dag nemen, zoals vandaag. Niks vervelender dan op zo'n dag veel te lang in een trein vast te zitten. En we nemen twee mensen die normaal nooit met elkaar zouden praten. Een bejaarde en een workaholic, bijvoorbeeld. Twee mannen? Of een bejaarde vrouw.'

'Een bejaarde vrouw', vond Eric. 'Waarover laten we ze praten?'

'We beginnen met het weer. Daar heeft iedereen het toch over met vreemden? Zeker als je op een snikhete dag vastzit in een trein.'

Ik begon te schrijven. Eric keek over mijn schouder mee, stuurde bij, dicteerde, veranderde hier en daar een woord... Bijna een uur lang werkten we geconcentreerd aan onze dialoog. Voldaan leunde ik ten slotte achterover. 'Het ziet er echt goed uit, volgens mij gaan we hier hoge punten mee halen.'

'Dat denk ik ook. Ik typ het wel uit. Dan ziet het er meteen veel echter uit', bood Eric aan.

'Oké, mail je 't mij dan even door?'

'Doe ik. En dan hebben we nu wel een plons in het water verdiend, nietwaar? Je kunt je omkleden in de badkamer', wees Eric.

Nieuwsgierig volgde ik hem wat later de tuin in. Heel even was ik teleurgesteld toen ik het zwembad zag, maar het volgende moment begon ik toch te lachen. 'Eric! Noem jij dit een zwembad?'

Met grote stappen plonsde Eric ondertussen het bad in. Ik kromde mijn tenen in het gras en staarde naar het ploeterbadje, vrolijk versierd met Winnie de Poeh.

'Komaan', wenkte Eric en hij viste een stel badmintonrackets uit het gras. 'Zeg niet dat je nog nooit plonsbadbadminton hebt gespeeld.'

Ik grijnsde en greep naar het racket dat Eric in mijn richting gooide. 'Ik zeg niks.'

Buiten adem liet ik me een halfuur later eindelijk helemaal in het water zakken. Plonsbadbadminton klonk misschien kinderachtig, maar het was best hard werken om door kniehoog water achter een pluimpje te ploeteren.

'Dit bad is perfect, toch', knikte Eric en hij toonde hoe we er allebei net languit in konden gaan liggen.

Ik blies bubbels in het water als antwoord en duwde mijn neus tegen die van Winnie, die me vanaf de rand aankeek. Ik schrok me rot toen er plots een kever op Winnies neus verscheen, die aanstalten maakte om verder te kruipen op mijn neus.

'Mooie bikini', knikte Eric toen hij uitgelachen was. En dit keer lachte hij echt, dat wist ik zeker, want de sproeten op zijn neus bewogen mee.

'Dank je', antwoordde ik opgetogen.

'Nieuw?'

'Ja. Hoe weet jij dat?'

Eric antwoordde niet, maar trok aan iets achter in mijn nek. Het duurde even voor het me begon te dagen dat ik vergeten was het prijskaartje eraf te knippen. Gegeneerd ging ik kopje onder. Het begon een gewoonte te worden dat Eric me een rood hoofd bezorgde. Wat was dat toch met die jongen?

Met veel gespetter stapte Eric uit het bad. 'Het is tijd voor pannenkoeken met aardbeien en slagroom, denk je ook niet?'

'En wie gaat die bakken?' Met de achterkant van mijn pols veegde ik het opgespatte water uit mijn gezicht.

'Ik, natuurlijk', verkondigde Eric met een plechtig gezicht.

Ik wilde antwoorden dat het veel te warm was voor pannenkoeken, maar dat deed ik niet. Eric had gelijk. Het was het perfecte moment voor krokante pannenkoeken met zoete aardbeien en frisse slagroom. Nieuwsgierig volgde ik Eric dus naar de keuken. In een mum van tijd had hij melk over het aanrecht gegoten, bloem op de vloer gemorst en plakte er eigeel aan het keukenkastje onder het fornuis. Ik grinnikte. De keuken begon zowaar bij Eric te passen.

'Als jij de aardbeien en de slagroom doet, bak ik de pannenkoeken.' Eric trok een bakje aardbeien uit de ijskast en schoof het samen met een keukenmesje mijn richting uit. Ik begon de aardbeien af te spoelen en keek vanuit mijn ooghoek hoe Eric het vuur gloeiend heet zette, een stevige klont boter in de pan mikte en nog wat beslag op de vloer morste terwijl hij wachtte tot de pan opwarmde. *Een kéúkenprins is hij in elk geval niet.* Ik kon het Charlot horen snuiven en ik moest een schaterlach onderdrukken.

Ik sneed snel de aardbeien in stukjes terwijl Eric zijn eerste baksel zo ongemerkt mogelijk in de vuilnisbak probeerde te lozen. Braafjes deed ik alsof ik er niks van merkte, ook al begon er een stevige brandgeur door de keuken te drijven. De aardbeien waren klaar en ik trok de koelkast open op zoek naar room.

'En nu het moment suprême', kondigde Eric aan.

Ik kon nog net zien hoe hij de pannenkoek met een onhandige boog uit de pan gooide om hem om te keren. Zijn eerste enigszins geslaagde pannenkoek belandde daarmee in de beslagkom op het aanrecht. Ik beet op mijn tong om niet in lachen uit te barsten.

'Hoe kan dat nu?' Onthutst staarde Eric van de pan naar de kom met beslag, naar zijn pannenkoek die er als een zielig vodje in lag rond te drijven. Ik merkte hoe zijn schouders begonnen te schokken. Het volgende moment plooiden we allebei dubbel van het lachen tegen het aanrecht.

'Misschien is het verstandiger als we wisselen. Ik denk dat jij fantastisch goede slagroom kunt kloppen.' Ik veegde de laatste lachtranen uit mijn ogen.

Eric zuchtte met veel drama. 'Ik zal het maar opbiechten. Ik wist meteen: Nore is een echte kok. En ik wilde je graag de kans geven om te schitteren in deze keuken. Maar dat mocht natuurlijk niet opvallen.'

Hoofdschuddend duwde ik Eric bij het vuur vandaan.

'Niet te geloven, Eric, hoe subtiel jij de dingen aanpakt.'

'Alleen de dingen die echt belangrijk voor me zijn', antwoordde Eric zachtjes. Er was geen spoor van een lach meer te bekennen op zijn gezicht nu. Even bleven mijn ogen haken in de zijne. Ik wist wel dat Erics ogen blauw waren, maar het viel me nu pas op hoe blauw ze eigenlijk waren. Het blauw van een strakke zomerhemel waar geen wolk in te bespeuren is. Zo'n hemel die uitnodigt om in het gras te gaan liggen en domweg te genieten van de zon op je huid, het briesje dat aan je tenen kietelt en de tsjirpende krekels.

Met tintelende vingers viste ik de pannenkoek uit het beslag en goot een nieuw baksel in de pan. Eric begon in de keukenkastjes te rommelen op zoek naar een mixer. Een kwartier later installeerden we ons in de tuin met een grote stapel pannenkoeken. Natuurlijk liet Eric de strakke aluminium tuintafel links liggen. In plaats daarvan nam hij me mee naar helemaal achter in de tuin waar, keurig verborgen achter de struiken, nog altijd twee schommels stonden. Ze zagen er wat krakkemikkig uit, maar Eric ging zonder aarzelen op een van de schommels zitten, dus volgde ik. Het ging niet echt handig, pannenkoeken eten en schommelen tegelijk.

'Maar zo hebben we wel meteen de calorieën verbrand die we aan het opeten zijn', vond Eric.

Hoofdschuddend bekeek ik zijn graatmagere lijf. 'Dat is echt iets waaraan jij moet denken, Eric.'

Hij haalde zijn schouders op. 'Ik ben gewoon graag in beweging.'

Terwijl hij het zei, besefte ik dat het waar was. Eric zat nooit stil. Ook in de les was hij voortdurend aan het rommelen, met zijn benen aan het wippen, zijn pen aan het open- en toeklikken...

'Word jij nooit onrustig van jezelf?'

'Ik doe het net om rustig te worden.'

Ik wilde antwoorden dat ik er in elk geval gek van zou worden, maar ik zette mijn voet verkeerd toen ik me afzette op de grond. In plaats van het gras raakte ik de kom met aardbeien. Ze schoten alle kanten uit, maar kwamen toch vooral in mijn gezicht en op mijn armen terecht. Ze bleven aan mijn vel kleven in natte, plakkerige, rode hoopjes.

'Ik dacht dat vrouwen zo goed twee dingen tegelijk konden doen?' schaterde Eric. Hij reikte me een handdoek aan om mezelf af te vegen. En mijn weer maar eens vuurrode wangen te verbergen. 'Je ruikt in elk geval naar zomer nu.'

Ik snoof de zoete aardbeigeur diep op. Daar had hij een punt. En er waren beslist ergere dingen dan naar zomer ruiken.

Met een hoofd vol zon en pannenkoeken donderde ik tegen zes uur onze keuken binnen.

'Charlot heeft al twee keer voor je gebeld', begroette mama me. 'Ik dacht dat jullie hadden afgesproken voor die taak van Engels?'

'Nee, die taak moest ik met Eric maken.' Ik draaide me naar de koelkast om te ontsnappen aan mama's onderzoekende blik. Ik was bewust vaag gebleven over met wie ik die taak moest maken en wist dat mama dan zou veronderstellen dat ik ze met Charlot maakte. Waarom eigenlijk?

'We konden niet kiezen met wie we samenwerkten. Mevrouw Decock heeft ons zelf ingedeeld. En ik kwam dus bij Eric terecht.' Ik zweeg en klokte een glas ijskoud water naar binnen. Ik maakte het er heus niet beter op door nu ineens omstandig alles te gaan uitleggen.

'Wel, misschien kun je Charlot toch beter een keer terugbellen. Ze ging er duidelijk van uit dat jullie iets hadden afgesproken.'

'Ik bel haar meteen!' Ik klikte de draagbare telefoon van zijn oplader en drukte op de herinneringstoets van Charlot thuis.

'Hoi, met mij, ik ben nu pas terug.'

'Nou, dat moet daar interessant geweest zijn bij Eric! Ik was er nochtans echt van overtuigd dat je die bikini nog zou willen gaan kopen.'

'Die ben ik nog gaan kopen.' Ik voelde mama's ogen in mijn rug branden en haastte me de keuken uit op zoek naar wat meer privacy.

'Oh.' Charlot zei niks meer aan de andere kant van de lijn, maar dat hoefde ook niet. Haar teleurstelling was zo voelbaar.

'Eric sms'te me dat hij een zwembad had, dus dacht ik: ik ga die bikini gewoon nog snel kopen.'

'*I see.*'

'Al bleek dat zwembad wel tegen te vallen. Het was gewoon een opblaasbadje dat nog net niet uit de Hema kwam', taterde ik ongemakkelijk voort.

'Het moet toch gezellig geweest zijn, als je nu pas thuis bent.'

'We hebben pannenkoeken gebakken.' Ik liep de trap op en duwde mijn kamerdeur open. Pannenkoeken bakken. Het klonk ineens zo kinderachtig.

'Toe maar.'

Er viel weer een stilte en ik ademde een keer diep. Wat rook hier toch zo vreemd? Er hing een gek duffe geur in mijn kamer, ook al stond het venster open.

'Wel, misschien kun je die bikini zaterdag opnieuw gebruiken. Ik dacht dat we dan konden gaan zwemmen in dat nieuwe bad dat opent. Je weet wel, die boot aan de vaart die eigenlijk een zwembad is? Die gaat dit weekend open en mama heeft tickets voor de eerste twee uren van de namiddag. Ze laten maar dertig mensen tegelijk in het zwembad en wij kunnen dus bij de eersten zijn!'

Ik luisterde niet meer naar Charlot, maar tuurde met een wee gevoel in mijn maag naar mijn studieschema dat ik breed over mijn kastdeur had geplakt. Overmoedig had ik de hele zaterdagnamiddag ingekleurd als studeertijd. Ik ging wiskunde blokken.

'Ik moet zaterdag studeren', zei ik uiteindelijk zachtjes in de hoorn.

'Ah. De hele dag?'

'In de voormiddag moet ik naar de tandarts.'

'Je kunt toch ook na het zwemmen studeren? Zoals ik al zei: we mogen maar twee uur in het zwembad.'

Ik frummelde aan de knop van de kleerkast. Hetzelfde schema waarop ik nu zat te staren hing ook beneden

op de koelkast. Met veel vertoon had ik het erop
geplakt, zodat mijn ouders mijn goede voornemens op
de voet konden volgen.

'Het is de eerste dag dat ik ga studeren. Ik kan het niet
maken dat al meteen niet te doen. Voor ik het weet
begint papa te mopperen dat het duidelijk toch niet
zo'n goed idee is, die auditie. Je kent hem ook.'

'Geen probleem, ik vraag wel aan Suze of ze meegaat.
Zij heeft zeker tijd.'

'Charlot...'

'Tot morgen!'

Voor ik nog iets kon terugzeggen, klonk de bezettoon
al in mijn oor.

Mama had maar één blik nodig op mijn gezicht toen
ik de keuken terug binnenkwam. 'Mag Charlot niet
meedoen aan de auditie?'

Ik schudde kort mijn hoofd. 'Niet omdat ze moet
studeren. Omdat het een dancing is.' Ik hield even mijn
adem in, bang dat mama zich alsnog zou bedenken
en zou vinden dat het eigenlijk toch niet zo'n goed idee
was, op een podium willen dansen in een dancing.

'Zal ik een keer met tante Isabel gaan praten? Ze
stond zelf in haar jonge jaren maar wat graag op het
podium in dancings. Dat is ze vast vergeten.' Mama
grinnikte. 'Niet dat ze van het dansen veel in huis
bracht. Maar show verkopen kon ze wel...'

Ik schudde heftig mijn hoofd. 'Charlot wil niet dat je je
ermee bemoeit. Het stinkt boven trouwens', veranderde
ik van onderwerp.

'Dat zei papa ook al.' Mama fronste haar voorhoofd.
'Misschien is een van de buren vandaag bezig geweest
met chemische producten of zo. Ik heb gisteren alles
nog gedweild!'

Ik haalde mijn schouders op. De oorzaak van de geur boven kon me niet veel schelen, ik was allang blij dat het gesprek niet langer over mij en Charlot ging.

7

'It's so rock and roll to be alone.'

Amy Mac Donald, Mr. Rock & Roll

Aarzelend duwde ik die vrijdag de glazen deur naar
de dance loft open. Het was de allereerste keer dat ik
de deur openduwde zonder dat het spiegelbeeld van
Charlot me tegemoet blonk. En het was de allereerste
vrijdag sinds heel lang die ik niet samen met Charlot
zou doorbrengen. Ik had het haar daarnet op het
schoolplein nog een laatste keer gevraagd, of ze toch
niet meeging. Dan wist ze in elk geval hoe de dans
eruitzag. Voor als haar ouders zich zouden bedenken.
Voor wannéér haar ouders zich zouden bedenken.
'Ik kan niet.' Charlot had beslist haar hoofd geschud.
'Ik heb afgesproken met Suze. We gaan naar de nieuwe
James Bond. Dans jij je maar in het zweet, ik ga lekker
wegzwijmelen bij knappe mannen.'
Ik keek op mijn horloge terwijl ik me de trap op haastte
naar de kleedkamer. Waarschijnlijk zat Charlot nu
met een grote zak popcorn naar de reclamefilmpjes te
kijken. Het zinderende geroezemoes kwam me tegemoet
zodra ik de deur van de kleedkamer openduwde.

'Welk nummer zouden ze gekozen hebben?'

'Ik begin vast meteen uit de maat.'

'Stel je voor dat ik niet eens heel de dans kan onthouden!'

De verwachtingen waren hooggespannen, zoveel was duidelijk. Ik knoopte mijn sportschoenen dicht. Heel even nog dacht ik aan Charlot en haar James Bond. Ze wist niet wat ze miste! Ik beet op mijn lip. Misschien was dat maar goed ook.

Ik draaide mijn haar in een staart.

'Ben je er klaar voor?' Ellen kwam naast me voor de spiegel staan en begon behendig met een aantal speldjes haar krullen uit haar gezicht te trekken.

Ik grijnsde naar haar en mijn spiegelbeeld. 'Het zal nog niet!'

Samen met Ellen volgde ik de rest van de groep naar de dance loft. Het zenuwachtige getater verstomde meteen toen Jesse en Kathleen, een van de andere lesgevers in onze dansschool, in het lokaal verschenen.

'Goedenavond allemaal', begon Jesse opgewekt. 'Zoals jullie weten krijgen jullie vanavond de dans te zien die jullie moeten brengen voor de auditie. Dat is ook meteen de dans die de zes gekozen meisjes op het podium van Arno's gaan brengen. Het gaat om een optreden in een dancing, dus we hebben gekozen voor hét dansnummer aller tijden uit dé dansfilm aller tijden: *Saturday Night Fever*. Jullie hebben John Travolta daar ongetwijfeld allemaal in aan het werk gezien?'

Jesse wachtte niet op antwoord en dat was misschien maar goed ook. Ik had de film in elk geval nog niet gezien en ik was blijkbaar niet de enige, merkte ik aan de verontruste gezichten rondom mij.

'We gaan eerst kort opwarmen met twee nummers,

jullie kiezen zelf hoe je dat doet. Daarna dansen
Kathleen en ik de dans twee keer voor. Vervolgens
nemen we hem stap voor stap met jullie door en dan
dansen we hem nog een keer allemaal samen. Is dat
voor iedereen duidelijk?' Dit keer wachtte Jesse wel op
antwoord.

Ik knikte ijverig, net zoals de rest van de groep.

'Zo weinig!' hoorde ik Emma ontzet fluisteren. Ik kon
haar geen ongelijk geven. Vaak waren we een hele les
bezig met acht tellen van een dans. En nu zouden we op
een avond een hele dans onder de knie moeten krijgen?
Mijn gedachten werden onderbroken door de stem van
Bono die uit de boxen schalde en ik begon ijverig aan
buikspieroefeningen op de tonen van 'With or without
you'. Ik besloot niet mals te zijn voor mezelf en de
buikspieroefeningen het hele nummer vol te houden.
Toen de laatste tonen van 'These are the hands that
built America', het tweede nummer, wegstierven, kon ik
het zweet langs mijn huid naar beneden voelen sijpelen.

'Oké dames, tijd voor het echte werk nu.' Met een
grijns veranderde Jesse de muziek en liep samen met
Kathleen naar hun plaatsen vooraan bij de spiegel.
Gespannen liet ik me naast Dorien op de grond
zakken. Ik kreeg spontaan kippenvel toen de Bee
Gees uit de boxen kwamen. *On the waves of the air,
there is dancin' out there. If it's somethin' we can share,
we can steal it.* Natuurlijk kende ik dit nummer! Heel
even vergat ik te kijken en luisterde ik gewoon naar
de muziek. Ik zag mezelf al helemaal staan dansen
op het podium tijdens dit nummer. Het geblaas van
Dorien naast me haalde me gelukkig snel weer naar
de werkelijkheid. En maar goed ook, want dit werd
allesbehalve simpel!

De volgende tien minuten concentreerde ik me zo hard dat mijn hoofd er pijn van ging doen. Elke beweging die Jesse en Kathleen maakten, probeerde ik in mijn geheugen te griffen. De kern was het draaien en het kicken met je rechterbeen, daar was ik al snel achter. Maar dit nummer had ook best een snel tempo, wat het er allemaal niet makkelijker op maakte. Aandachtig keek ik toe hoe Jesse op de muziek in elkaar kromp en zich weer uitstrekte, hoe zijn armen en benen perfect deden wat hij van ze verlangde. Waarom gebeurde dat bij mij hoogstens een keer op een hele les?

Enigszins moedeloos krabbelde ik overeind toen Jesse in zijn handen klapte. 'Oké meiden, we nemen het tel voor tel door. Belangrijk is dat jullie oefenen op die kick. Jullie benen moeten recht en strak de lucht in gaan, ik wil geen slappe kuiten zien!'

Ik haalde diep adem en oefende de stamp, verloor bijna mijn evenwicht omdat Dorien ineens veel dichter kwam dan de bedoeling was en ik haar nog maar net kon ontwijken. Verstoord zocht ik mezelf een rustiger plaatsje, ook al betekende dat dat ik een minder goed zicht op Jesse kreeg. Na een uur begon het me echt te duizelen. Stampen, draaien, buigen, achterwaarts plooien, overeind springen, pirouette... Hoe kon ik dat allemaal blijven onthouden én perfect uitvoeren?

'We doen het nog een keer helemaal samen', kondigde Jesse het einde van de les aan. Dit keer drong ik vastberaden naar voren voor een goed plaatsje aan de spiegel. Na vijf tellen ging ik al in de fout en het duurde minstens tien tellen voor ik weer kon inpikken. Ik foeterde mezelf uit terwijl ik mijn spieren stretchte. Dit ging nooit lukken! Rood, zweterig en behoorlijk wanhopig slenterde ik terug naar de kleedkamer.

Emma was daar het laatste deel van de dans druk aan
het oefenen voor de spiegel. Tara en Joke gaven haar
advies tot ze uiteindelijk een redelijk goede uitvoering
van de laatste tien tellen bracht. Mocht ik ooit al zover
raken…

Als een zak aardappelen liet ik mezelf op de bank
vallen. Elk spiertje in mijn voeten deed pijn, mijn
knieën zagen vuurrood en zouden nog de hele avond
branden, dat wist ik nu al. Ik sloot mijn ogen en dacht
aan Charlot die nu met een grote cola van James Bond
zat te smullen. En of ze wist wat ze miste!

'Doe jij ook mee, Nore?' Ellen knipte met haar vingers
voor mijn gezicht.

'Waaraan doe ik mee?' Ik opende langzaam mijn
ogen.

'We zijn aan het afspreken om samen te oefenen.
Alleen krijgen we die dans nooit onder de knie. Maar
samen moet het lukken. Morgenavond kunnen we bij
mij thuis in de garage oefenen. Kom je ook?'

'Tuurlijk! Goed idee!' Ik knikte met al het enthousiasme
dat ik nog kon opbrengen. Want het wás een goed
idee. 'Hoe laat verwacht je ons? Zal ik cake bakken?'

'Sebastiaan, ben je er nu bijna?'

'Ik kom!' Ik hoorde mijn broer voor de derde keer op
vijf minuten de trap af denderen. 'Ik was nog iets
vergeten.'

'Gelukkig maar dat je hoofd vast hangt', hoorde ik
mama nog mopperen voor de voordeur eindelijk
dichtviel. Met een zucht draaide ik me terug naar mijn
wiskundeboek. Het was zaterdagmiddag, twee uur.
Volgens mijn dappere schema ging ik de komende vier
uur wiskunde blokken. Vanavond ging ik dansen bij

Ellen. En morgen was er dan tijd voor het huiswerk van maandag. Maar dus eerst wiskunde. Vier uur lang. Vier lange uren.

Ik klikte mijn pen open en dicht tegen mijn lip, dacht aan mama, papa en Sebas die samen met mijn grootouders een ijsje gingen eten in het beste Italiaanse ijssalon dat er in de wijde omgeving te vinden was. Ik hoefde mijn ogen niet eens te sluiten om hun chocolade-ijs met stukjes hazelnoot erin te kunnen proeven. Dat was gewoon verrukkelijk. Zo lekker dat zelfs Sebas niet aarzelde en meeging. Ook al betekende het dat hij opa weer bezig zou horen over hoe hij toen hij zo oud was als Sebastiaan al ging werken bij de boeren. Dag, nacht, winter, zomer. Dat ijs kon ik altijd eten. En al helemaal op een warme zaterdag als vandaag. En nee, ik ging ook niet aan Charlot denken die nu waarschijnlijk haar eerste teen in het water van de zwembadboot stak.

Ik nam een slokje sap en trok mijn wiskundeboek recht. Het eerste hoofdstuk ging over lijnstukken. *Punten die op eenzelfde rechte liggen zijn colineair. Een verzameling van punten is een vlak,* las ik. IJverig pende ik de definitie over. Ik probeerde de oefeningen die bij dit deel theorie hoorden opnieuw te maken. Besloot na vijf minuten dat ik best nog even mocht spieken, het was toch belangrijk dat ik mezelf de juiste manier aanleerde om de oefening te maken? En dat moest ik dus eerst even checken.

Ik kwam abrupt overeind. Er was nog iets anders dat ik wilde checken, nu ik daar de kans toe had. Op een drafje haastte ik me naar de kamer van Sebastiaan. Ik duwde de klink stevig naar beneden. De deur gaf geen krimp. Ik had me niet vergist. Sebas deed de deur

van zijn kamer inderdaad op slot. Ik probeerde het
nog een keer. Duwde en trok, zette mijn schouders zelfs
even tegen de deur. Ze bleef potdicht. Ik fronste mijn
wenkbrauwen. Sebastiaan was heel erg gesteld op zijn
privacy, dat was waar. Maar dat hij daarom ook zijn
kamerdeur op slot deed, dat was nieuw. Ik blies. Dit
mocht dan wel zeer interessant zijn om te weten, over
dit soort dingen werden jammer genoeg geen vragen
gesteld op mijn examen wiskunde. Dapper sleurde ik
mezelf terug naar mijn bureau.

Na een hele poos zuchten en zweten had ik vier
oefeningen opnieuw gemaakt. Ik draaide tevreden
het blad om. 'Wiskunde is voor watjes!' had Charlot
boven aan de volgende pagina gekrabbeld. Ik grijnsde.
Ze had helemaal gelijk! Ik keek opnieuw op mijn
horloge. Drie uur. Charlot lag nu nog te genieten in het
water van de zwembadboot. Wie zou ze meegenomen
hebben? Suze? Ze had het vast maar voor het uitkiezen.
Iedereen wilde toch meegaan naar de zwembadboot.
Ik was een idioot dat ik nee had gezegd.
Ik schudde heftig mijn hoofd. Ik zou dansen in Arno's
én goede punten halen.
Daarom zat ik hier nu op een snikhete zaterdag achter
mijn boeken in plaats van te gaan zwemmen of ijs
te eten. Dat was helemaal niet idioot, dat was net
intelligent en ijverig. Kordaat trok ik mijn kladblok
wat dichter naar me toe. Als ik nu eens begon met de
definities drie keer over te schrijven. Daar moest dan
toch iets van blijven hangen.
Tot mijn eigen grote verbazing begon het langzaam
maar zeker enigszins te vlotten met de wiskunde. Toen
de bel van de voordeur ging, schrok ik dan ook op uit
mijn concentratie. Ik tikte de laatste cijfers in op mijn

rekenmachine, zag tevreden dat ik de juiste uitkomst had gevonden en holde dan snel de trap af naar de voordeur.

'Hoi.'

'Hoi.' Verrast keek ik naar Charlot, die in de deuropening heen en weer stond te draaien. 'Kom binnen.' Ik deed een stap naar achteren. 'Hoe was James Bond? En de zwembadboot?'

'James Bond heeft gewonnen.' Charlot grijnsde. 'Zoals het hoort.'

Ze vroeg niet hoe mijn vrijdagavond was verlopen, dus besloot ik wijselijk er zelf ook maar niet over te beginnen. 'Heb je zin in cake? Vanmorgen vers gebakken.'

'Daar zeg ik geen nee tegen.'

Heel even dacht ik aan het laatste hoofdstuk wiskunde dat ik vandaag nog zou doornemen. Als ik nu morgen gewoon vroeg zou opstaan? Dat moest ook lukken! Dus zaten Charlot en ik even later in de schaduw op het terras, samen met de iPad, een fles koude limonade en de appelcake. We waren de laatste roddel over prinses Kate aan het checken en Charlot bestudeerde net Kates buik om vol overtuiging mee te delen dat ze onmogelijk zwanger kon zijn, toen ik mijn ouders de keuken hoorde binnenkomen. Ik merkte best hoe papa naar mijn studieschema op de koelkast keek en dan naar de klok van de microgolf en vervolgens naar de koekkruimels die voor me op de tafel lagen. Hij trok een wenkbrauw op. Hij zei niks. Dat hoefde ook niet.

8

'**You know that I could use somebody,
someone like you.**'

Kings of Leon, Use somebody

'Ha, Nore, je bent precies op tijd! We wilden er net aan
beginnen.'
'Hoi.' Ik frunnikte onhandig aan de appelcake die ik
had meegebracht en keek de kring gezichten van onze
dansgroep rond. Ik was het zo gewoon om altijd op
Charlot toe te stappen dat ik nu maar wat verweesd
naar de anderen stond te kijken. Ellens beste vriendin
Mieke was er natuurlijk. Joke, Tara en Paulien waren
druk bezig met opwarmen in een hoekje van de
garage. En Dorien was er ook, zag ik tot mijn ergernis.
Het beviel me niks hoe ze me vrijdag in een hoekje had
gedrumd. Dit keer zou ik haar er niet zo makkelijk mee
laten wegkomen. Ik legde mijn cake op de tafel tegen
de achterwand van de garage. Naast een aangebroken
zak chips, een fles cola en de plastic bekertjes die er al
op stonden.
Ik wilde Ellen vragen van wie de foto was die boven de
binnendeur hing. Een man met een grote snor en een
nog grotere bril zat ons van daar fronsend te bekijken.

Maar ik werd overstemd door de muziek die ineens uit de boxen aan Ellens iPod schalde.

'Oké meiden, zijn jullie er klaar voor?'

Ik kuchte de kriebel in mijn keel weg en trok mijn trui uit. Ellens imitatie van Jesse was zo slecht nog niet. 'En een, twee, drie, vier, vijf, zes, zeven, acht...' telde ze af. Het volgende moment begonnen we zo ongeveer allemaal aan een andere beweging. Met een dramatische zucht zette Ellen de muziek zachter.

'De eerste tel was een kick naar rechts', hield Dorien vol.

Ik knikte instemmend, ook al had ik haar liever geen gelijk gegeven. 'Je armen gaan pas naar boven nadat je gedraaid hebt.'

'Maar je draait toch pas op tel vijf of zo?' Paulien trok nadenkend aan haar neus.

'Misschien is het verstandig om eerst de hele dans een keer uit te schrijven, zodat we zeker zijn dat we de juiste bewegingen in de juiste volgorde inoefenen', opperde Mieke.

'Ja, goed idee', viel ik bij. Ik viste pen en papier uit mijn rugzak. 'De eerste tel is dus die kick naar rechts. Is iedereen het daarmee eens?' Ik keek snel de kring rond. Ellen twijfelde, maar zweeg omdat er niemand anders protesteerde. Na een uur discussiëren en oefenen hadden we eindelijk de structuur van de dans op papier.

'Dit gaat veel meer tijd kosten dan ik ooit had gedacht', kreunde Paulien. 'Mijn ouders verwachten me over een kwartier terug thuis en eigenlijk hebben we nog niks gedaan.'

'Het begin is altijd het ergste', suste Mieke. 'Je zult zien, als we de volgende keer oefenen, gaat het een stuk vlotter. Dan hoeven we niet meer te discussiëren, we kunnen gewoon meteen beginnen. Wat we nu hebben gedaan lijkt misschien tijdverlies, maar uiteindelijk hebben we er veel tijd mee gewonnen. Dat geloof ik echt.'

Ik zei niks. Het klonk logisch, wat Mieke zei. Maar op dit moment was ik het toch vooral met Paulien eens. Hoe kreeg ik dit allemaal gebolwerkt? Ik voelde de paniek even samenballen in mijn buik, hoe hard ik mezelf ook rekte om mijn spieren te ontspannen.

'Anders komen we morgen meteen weer samen?' stelde Ellen voor. 'Dat kan hier wel opnieuw.'

Paulien knikte meteen, Dorien ook. Ik aarzelde. Dacht aan mijn laatste hoofdstuk van wiskunde dat ik morgen nog moest doornemen. Mijn huiswerk voor Nederlands. Ik had pas maandag weer tijd om te dansen ingepland. Maar toch knikte ik uiteindelijk ook. Helemaal alleen oefenen was geen leuk vooruitzicht. En dan kon ik maandag wiskunde studeren in plaats van te oefenen voor het dansen. Dat was best een goed plan, besloot ik opgelucht terwijl ik afscheid nam en op mijn fiets klom.

Toen ik thuis aankwam, was mama net haar spullen aan het verzamelen om te vertrekken.

'Dag schat, hoe was de oefensessie?'

'Vermoeiend', pufte ik.

'Wacht maar tot je daar op het podium in die dancing staat. Dat beeld moet je voor ogen houden.'

Ik grijnsde, schopte mijn schoenen onder de trap en viste in een moeite ook mama's autosleutels uit het kluwen van tassen en sleutels dat zich onder de kapstok had gevormd.

'Dank je wel.' Mama zwierde de sleutels rond haar

wijsvinger. 'Ik sta al in de rij voor een foto met handtekening, het is maar dat je het weet.'

Ik grinnikte bedrukt. 'Ik wacht toch nog maar even met het oefenen van mijn handtekening.'

'Natuurlijk ga je dansen op dat podium. En Charlot ook. Ik ga nu naar Isabel, ik laat haar meteen weten wat ik er allemaal van denk.'

'Dat doe je niet!' panikeerde ik.

'En waarom niet? Isabel laat me zo vaak weten hoe zij de zaken aanpakt en dan komt dat je altijd goed uit. Denk je dat ik de gelegenheid laat voorbijgaan om mijn zusje met gelijke munt terug te betalen? Ik zal haar er gewoon eens aan herinneren hoe graag zij vroeger naar de dancing ging.'

'Charlot wil niet dat je je ermee bemoeit. Please, mama. Je maakt de zaken alleen maar ingewikkelder.'

'Maak je nu maar geen zorgen. Geniet van je rustige avond. Papa kijkt voetbal en Sebastiaan is boven op zijn kamer bezig aan een of ander project voor school. Je hebt met andere woorden het rijk voor je alleen.'

Mama knipoogde vrolijk en trok de deur achter zich dicht. Met een kreun liet ik me neervallen op de onderste treden van de trap. Mama had niet beloofd dat ze zou zwijgen en ik wist precies waar dat toe zou leiden.

'I'm a supergirl.
And supergirls don't cry.'

Reamonn, Supergirl

Toen ik maandagmorgen op Charlot stond te wachten
aan het kruispunt, peesde ze zonder meer langs me heen.
Ik onderdrukte een zucht en klom op mijn fiets. Mama
ook met haar eeuwige grote mond en haar bemoeizucht.
'Charlot! Wacht nu even!'
'Ah, daar is ons moederskindje! Moet mama nu niet
meekomen? Ben je zeker dat je alleen door het verkeer
raakt?' Charlot kneep haar remmen zo abrupt dicht
dat ik bijna tegen haar opbotste.
'Charlot, doe nu niet zo! Ik heb mama gezegd dat ze
zich er niet mee mocht bemoeien. Echt waar. Ik kan
er toch ook niks aan doen dat ze niet wil luisteren?' Ik
ging recht op mijn trappers staan en reed Charlot klem
tegen het voetpad, zodat ze wel moest blijven luisteren.
'Denk je dat ik het grappig vind dat iemand er nog
eens komt inwrijven dat ik zo ongeveer de enige van
onze groep ben die van die belachelijke ouders heeft
die nee zeggen.' Charlot zwaaide woest met haar haren
heen en weer.

'Je hebt ouders die meestal ja zeggen', mompelde ik stilletjes.

'Maar in dit geval dus niet, hé? En je hoeft ook niet over iets anders te beginnen. Jouw moeder had zich er gewoon niet mee moeten bemoeien!'

'En wat kan ik daaraan doen?'

'Kunnen jullie misschien een andere plek zoeken om het uit te vechten?'

Verstoord keek ik naar een grote, rosse jongen die ons geamuseerd stond te bekijken. Nu pas besefte ik dat we het fietspad blokkeerden, elk aan een kant van onze fiets staand, onze armen rond het stuur geklemd alsof het een stormram was. Ik gaf een nijdige ruk aan mijn stuur, waardoor de jongen grijnzend kon passeren.

'Is het al eens bij je opgekomen, Charlot, dat ik hier allemaal niks aan kan doen? Het is niet mijn fout dat jouw ouders nee zeggen. En ik ga me niet slecht voelen omdat die van mij voor een keer eens ja hebben gezegd! Wat wil je eigenlijk dat ik doe? Zou je willen dat ik ook geen auditie deed, alleen maar omdat jij niet mag meedoen?'

'Alsof je dat zou overwegen!'

'Zou je dat dan werkelijk willen?'

Ontsteld keek ik mijn vriendin aan. Dat Charlot leek te vinden dat ik die mogelijkheid werkelijk zou moeten overwegen, was wel het laatste dat ik had verwacht. Dat was toch gewoon te gek voor woorden!

'Kan je daar eigenlijk wel zelf over beslissen? Dat moet je vast ook eerst met mama overleggen, nietwaar?'

Ik antwoordde niet. De woede kneep mijn keel zo dicht dat ik het niet eens had gekund. Wie dacht Charlot eigenlijk wel dat ze was! Ik negeerde het snot dat ondertussen langs mijn kin naar beneden drupte en duwde mijn fiets in het gat naast die van Charlot. Ik ging zo hard op de trappers staan dat mijn borst pijn deed toen ik bij de school aankwam, maar dat kon me niet schelen. Op een vreemde manier deed het zelfs deugd. Ik vluchtte naar de wc's en smeet koud water in mijn gezicht tot mijn ogen niet langer aanvoelden alsof ze er elk moment uit gingen branden. Zodra de zoemer luidde, liep ik naar ons klaslokaal. Tot mijn opluchting zag ik dat Eric zich al installeerde bij het raam.

'Is deze plaats nog vrij?' Ik wees op de stoel naast hem.

'Voor jou altijd, schoonheid.'

Ik grimaste en begon mijn tas uit te laden. Ik kon Eric nu niet aankijken, want dan zou ik opnieuw beginnen te huilen. En als ik iets niet ging doen, was het dat wel.

'Waarom moest je nu toch met tante Isabel praten?' Met een dof gevoel in mijn buik gooide ik die namiddag mijn rugzak onder de trap. Ik keek vragend naar mama. Die probeerde om uien fijn te snijden en hing tegelijkertijd ergens bij een infolijn in de wacht, want ik kon de zevende symfonie van Beethoven uit de speakers van haar gsm horen komen.

'Schatje...' Mama wierp een blik op mijn gezicht en zette haar telefoon uit.

'Ik had het je nog zo gevraagd! Waarom moest je het dan toch doen?'

'Isabel is mijn zus. Jij bent mijn dochter. Is het zo gek dat ik met belangrijke mensen praat over de mensen die belangrijk zijn voor mij?'

Ik kreunde. 'Is het niet belangrijk als ik jou vraag om dat niet te doen?'

Mama bleef verder hakken in de ui, die ondertussen

zo fijn was dat het bijna uienpasta was in plaats van gehakte ui.

'Was het zo erg?'

Ik zweeg.

'Nog erger?'

Ik knikte en rommelde in de kast op zoek naar een Snickers. Het enige wat deze hele situatie iets beter kon maken was chocolade. Maar ik vond alleen nog de lege plastic zak terug waarin ooit veertien repen hadden gezeten. Sebastiaan had het duidelijk niet de moeite gevonden de verpakking weg te gooien nadat hij de laatste Snickers had opgegeten. Ik zuchtte en vertrok naar boven. Het kon nog erger. Ik had mezelf ook nog een keer voorgenomen vanavond de rest van mijn wiskunde te studeren.

Een keer achter mijn bureau opende ik eerst mijn mail. Eric had me net een mailtje geschreven, met als bijlage onze opdracht voor Engels. Ik klikte het bestand open: het zag er goed uit, hier moesten we een mooi cijfer voor halen.

Hoi,
Ziehier onze prachtprestatie voor Engels!
Tot morgen,
Eric

Onderaan het mailtje stond nog een PS. *Deze link moet je een keer bekijken!* Nieuwsgierig klikte ik door. Er opende een YouTube-compilatie met de beste momenten van The Simpsons. Ik kon niet anders dan op zijn minst glimlachen toen Homer naar een 'tramampoline' op zoek ging. Ik klikte op antwoorden, dacht even na en typte ten slotte:

Thanks (2x)
Tot morgen
Nore

Terwijl ik op verzenden klikte, wist ik dat ik eigenlijk meer had willen schrijven. Maar ik wist niet wat precies. Laat staan dat ik wist hoe. Gelukkig had ik nog nieuwe mailtjes die afleiding boden. Ellen had een berichtje gestuurd met een heel schema van oefenmomenten die bij haar in de garage konden doorgaan. Ik legde het naast mijn eigen schema. Met het nodige puzzelwerk moest het lukken om op de meeste momenten samen met de rest van de meisjes te kunnen oefenen. Ik kon het niet maken minder te oefenen dan de anderen. Ik moest schitteren op de auditie. Minstens. Want stel je voor dat ik niet eens gekozen werd! Dan was dit allemaal voor niks! De ruzie met Charlot, de hooggespannen verwachtingen van papa die zo moeilijk in te lossen waren, alle uren die ik nu al achter mijn boeken doorbracht terwijl ik ook veel leukere dingen zou kunnen doen... Tot mijn eigen grote ergernis voelde ik het nat al opnieuw langs mijn neus naar beneden lopen.

Dat Charlot kwaad en jaloers was, dat snapte ik. Maar dat ze niet ook een heel klein beetje blij kon zijn voor mij, dat snapte ik niet. Nijdig snoot ik mijn neus. Zo kon het niet verder. Voor ik er erg in had, veranderde ik nog in een echte huilebalk. Ik surfte vastberaden naar YouTube en typte 'Night fever' in. Ik draaide het volume van de boxen zo hoog als ik kon en zong mee met de tekst die verscheen onder aan het filmpje. Ik brulde het door de kamer: *'Here I am, Prayin' for this moment to last, Livin' on the music so fine, Borne on the wind,*

Makin' it mine. Night fever, night fever. We know how to do it. Gimme that night fever, night fever. We know how to show it.'

Het duurde even voor ik doorhad dat Sebastiaan in de deuropening stond. 'Ging jij geen wiskunde studeren volgens het nu al aangepaste schema op de ijskast? Of is dat ondertussen alweer aangepast?'

Met een klap liet ik me terug in mijn bureaustoel zakken en klikte het nummer weg. 'Ik ga wiskunde studeren, ja. Mag ik mijn hoofd even leegmaken voor ik begin?'

'Als dat iets stiller kan? Ik dacht dat je het ondertussen wel wist. Je kunt misschien dansen, maar...'

'... ik kan niet zingen', maakte ik de zin af. Ik grijnsde. Ik wist best dat ik niet kon zingen. Ik kon geen toon houden. En dat was nog zacht uitgedrukt.

Maar het had wel opgelucht om even mee te brullen. Met een voldane zucht opende ik mijn wiskundeboek. Ik ging nu dus wiskunde studeren. Maar eerst... Ik klikte op Ellens mail en stelde voor een oefenmoment in te lassen waarop we samen naar *Saturday Night Fever* zouden kijken, 'om in de sfeer te komen'. Tevreden klikte ik op verzenden, viste mijn wiskundeschrift onder een zakje zure beertjes uit en begon dapper aan de eerste oefeningen van het hoofdstuk over vraagstukken.

'Kom je eten?'

Ik staarde verstoord naar mijn wekker toen papa zijn hoofd om de deur stak. Ik had meer dan anderhalf uur lang aan een stuk doorgewerkt! En papa had net ook gezien dat ik ijverig aan het studeren was. 'Ik kom eraan', knikte ik en trok vervolgens mijn neus op. 'Wat is die geur?' Door de deuropening dreef een geur van citroen naar binnen. Maar niet de geur van lekker verse citrus. Het was de chemische geur van een mislukte wc-verfrisser. Zo'n geur die alles overstemde en lekker klonk op de verpakking, maar in werkelijkheid eigenlijk stonk.

'Dat ga ik Sebastiaan meteen vragen.'

Terwijl ik mijn spullen voor morgen alvast in mijn rugzak stopte, hoorde ik Sebastiaan aan de andere kant van de muur protesteren. 'Het stinkt niet!'

'Dat doet het zeer zeker wel.' Papa klonk onverbiddelijk. 'Wat is het eigenlijk?'

'Een project voor school. Ik ga een spreekbeurt houden over onze reukzin. Dan moet ik toch goed weten waarover ik het heb?'

'En dat experiment moet je hier thuis uitvoeren?'

'Ik moet de spreekbeurt morgen houden.'

'En je wist het natuurlijk niet eerder. Had je het niet op zijn minst in de garage of zo kunnen doen? Heb je nog nooit gehoord van geuroverlast, Sebastiaan?'

'Ik heb in elk geval wel gehoord van geuradaptatie: als je een geur een tijd geroken hebt, valt hij niet meer op.'

Ik liep langs Sebastiaans kamer en zag hem met een grote grijns naar papa kijken. Overtuigd dat hij papa net had klemgepraat. Hij zou beter moeten weten…

'Een zuchtje wind is genoeg om die geuradaptatie teniet te doen en te maken dat je de geur de hele tijd blijft ruiken, dat weet je hopelijk toch ook? Denk je dat wij met dit weer met de ramen dicht gaan slapen in de ijdele hoop jouw stank niet meer te ruiken? Ik denk dat jij hier als de wiedeweerga voor meer dan een zuchtje wind gaat zorgen, zodat die stank zo snel mogelijk wegwaait. Begrijpen we elkaar?'

Ik zag Sebastiaan over papa's schouder mijn richting uit kijken en liep snel verder naar de trap. 'Papa en Sebastiaan komen er zo aan', vertelde ik mama. 'Sebastiaan heeft een experimentje gedaan dat wat uit de hand is gelopen. Het stinkt boven naar nepcitroen.'
'Je meent het.' Mama draaide haar ogen naar het plafond. 'Nu, dan ruiken we die gekke duffe geur die de laatste tijd boven hangt in elk geval niet meer. Laten we het maar van de positieve kant bekijken.'
Ik keek naar de versgebakken chocoladecake die op het aanrecht stond af te koelen. 'Er is zelfs een dessert!'
Mama glimlachte. 'Ik dacht dat je wel wat chocolade kon gebruiken vandaag.'

'Good morning everybody!' Zoals altijd kwam mevrouw Decock met een brede smile het klaslokaal binnen.
'It wás a good morning', hoorde ik Eric naast me mompelen en ik moest een giechel onderdrukken. Ik voelde de ogen van Charlot in mijn rug branden, maar ik vertikte het om me om te draaien. Het was vrijdag, ondertussen was het al vijf dagen geleden dat we onze grote ruzie hadden. En het zag er niet meteen naar uit dat de zaken snel gingen beteren. Ik vertikte het om als eerste een verzoeningspoging te doen. Het was verdorie niet mijn fout dat we ruzie hadden gekregen! Waarschijnlijk dacht Charlot er net hetzelfde over. Dus zwalpten we al de hele week door een soort niemandsland waarbij we elkaar zoveel mogelijk negeerden en uit de weg gingen. Wat niet zo makkelijk was als het misschien klonk. Pas nu we het niet meer deden, begon ik te beseffen hoeveel tijd Charlot en ik eigenlijk samen doorbrachten. We zaten naast elkaar in de klas, gingen samen dansen, brachten de meeste

weekends samen door, maakten ook nog vaak samen huiswerk. Ik betrapte mezelf er soms op dat ik tegen Charlot aan het praten was, ook al was ze helemaal niet in de buurt. En ik wist heel goed dat ik niet met haar zou praten als ze wél in de buurt zou zijn.

Charlot had er de voorbije week een gewoonte van gemaakt om als een van de laatsten de klas in te komen. Wat betekende dat ik probeerde al een plaatsje te vinden naast iemand anders voor ze binnenkwam. Daardoor had ik de voorbije dagen heel wat lesuren naast Eric gezeten. Soms tot mijn eigen grote ergernis. Eric was grappig en spits, dat leed geen twijfel, maar hij kon evengoed knap irritant uit de hoek komen. Gisteren was Klaas over zijn woorden gestruikeld toen hij bij Nederlands moest uitleggen waarom hij reclamedrukwerk ergerlijk vond. Hij had gezegd dat hij zich er 'kostelijk' aan ergerde. Er was hier en daar gegrinnikt. Want het klonk grappig, dat was waar. Alleen Eric was keihard beginnen te lachen, waardoor de rest van de klas was ingevallen. Met een vuurrood hoofd was Klaas terug op zijn stoel gaan zitten.

Ik had Eric een stevige stomp in zijn ribbenkast gegeven en was de rest van de dag naast Sofie gaan zitten. Maar vandaag was ik toch weer naast Eric beland. Toen ik vanmorgen het lokaal binnenkwam, had hij zijn gsm naar me gegooid. Het was een reflex geweest het ding op te vangen en ook terug te geven. Waardoor ik bijna automatisch naast Eric was blijven zitten, want hij was een hele uiteenzetting begonnen over hoe de reflexen van vrouwen trager zouden zijn dan die van mannen. En dat soort beweringen kon ik echt niet zomaar laten passeren.

Mevrouw Decock gaf ondertussen onze verbeterde

taken terug. Tevreden zag ik dat Eric en ik een mooie
negen hadden gekregen voor ons werk. Het was sterker
dan mezelf, ik moest even omkijken naar Charlot. Aan
de trek om haar mond kon ik zien dat zij helemaal niet
tevreden was met haar resultaat. Tess, die weer naast
haar zat, was ongeïnteresseerd met haar pen krullen in
haar haren aan het draaien.

'Wat denken jullie, Eric en Nore. Zullen we daar
maandag over twee weken mee beginnen?'

Verward draaide ik me terug naar de lerares Engels.
Waarmee beginnen?

'Of we onze dialoog voor de klas willen brengen,
omdat hij zo goed is', fluisterde Eric me in. Ik knikte
onthutst naar de lerares. Dit klonk niet alsof we echt
een keuze hadden, toch?

'Mooi, dat is dan geregeld. Neem jullie boeken op
pagina 95.'

Mevrouw Decock sloot haar les af met een flinke
lading huiswerk. Net zoals de leraar wiskunde, die nog
een test wilde inplannen. En Jans van aardrijkskunde,
die een heel interessante opgave voor ons had
gevonden.

Mijn oren tuitten toen ik om vier uur op mijn fiets
klom. Het liefst van al wilde ik naar huis gaan en
mezelf met een tijdschrift in de hangstoel op het
terras nestelen. Een halfuurtje. Een halfuurtje maar
waarin ik gewoon niks deed. Maar ik had geen
halfuur. Ik moest gaan oefenen voor de auditie bij
Ellen. Met loden benen fietste ik naar Ellens huis.
Omdat het zo warm was, stond de garagepoort open
en de muziek waaide me al tegemoet toen ik de straat
in draaide. *Here I am, prayin' for this moment to last,
livin' on the music so fine, borne on the wind, makin' it*

mine. Ik neuriede mee en voelde mijn mondhoeken omhoogkomen terwijl ik mijn fiets op de oprit parkeerde en met een zwaai de anderen begroette. Eigenlijk was dansen de perfecte manier om mijn hoofd leeg te maken voor al het schoolwerk dat me nog te wachten stond…

'Moet je kijken!' Trots wees Ellen naar de rij spiegels die was vastgemaakt tegen de rechtermuur van de garage. 'Daar heeft papa gisteren voor gezorgd. Hij kon ze meenemen van zijn werk. Super toch? Zo hebben we echt onze eigen studio!'

'Wauw!' Onder de indruk staarde ik naar mijn eigen spiegelbeeld. 'We gaan nog echt professioneel worden.' Met een grijns gooide ik mijn rugzak in een hoek. 'Laten we eraan beginnen!'

'Ik kan beter tegen Jesse zeggen dat ik geen auditie doe, ik ga mezelf alleen maar belachelijk maken', kreunde Paulien een halfuur later toen we pauzeerden met sap en princekoeken.

'Tuurlijk ga je wel auditie doen', suste ik.

'Nou, ik vind het prima als ze beslist ermee te stoppen. Meer kans voor ons op het podium.'

'Dorien! Zoiets zeg je toch niet!' Verontwaardigd staarde Ellen Dorien aan.

'Alsof jullie het niet dachten!' verdedigde Dorien zichzelf. 'Jullie vinden het toch ook prima dat Suze niet mag meedoen van haar ouders? Daarmee is onze grootste concurrent meteen netjes uitgeschakeld. Dat Charlot niet mag meedoen, snap ik wel nog altijd niet. Die heeft anders zulke makkelijke ouders.'

Alle blikken gleden nu mijn kant uit. Ik bleef stug naar mijn princekoek kijken, maar zwichtte uiteindelijk toch voor de priemende ogen. 'Het zijn niet mijn ouders', mompelde ik.

'Nee, maar Charlot is wel jouw beste vriendin', vond Dorien. 'Of is dat niet meer het geval, nu jullie ruzie hebben?'

Ik slikte ongemakkelijk mijn laatste hap koek door. De chocolade voelde plots als lijm in mijn keel.

'Je gaat toch niet beweren dat er geen vuiltje aan de lucht is? Anders zijn jullie als een Siamese tweeling en nu doen jullie plots verschrikkelijk sociaal met iedereen behalve met elkaar.'

Ik zweeg, geschrokken nu. Lag het er zo dik op?

'Ik hoorde een verhaal over jouw moeder die zich ermee bemoeid zou hebben. Die tegen Charlots moeder gezegd zou hebben dat het dom was om Charlot niet mee te laten dansen. Is dat waar, Nore?' Dorien was genadeloos. Alsof ik dat nog niet wist. En hoe kwam het trouwens dat ze zoveel details kende? Van mij had ze in elk geval geen woord gehoord!

Ik kuchte. 'We... Charlot is...'

'Jaloers?' suggereerde Dorien.

Ik zweeg. Hoe waar het ook was en hoe kwaad ik ook was op Charlot, de laatste aan wie ik dat openlijk ging toegeven, was Dorien.

'Ach, je moet maar denken: het komt in de beste families voor', kwam Paulien tussenbeide.

Hier en daar klonk gegrinnik en ik lachte groen mee.

'Komaan meiden, zijn we hier om te roddelen of om te dansen?' Ellen klapte in haar handen. 'Laten we ons nog een keer flink in het zweet werken voor jullie terug naar huis moeten.'

Ellen keek naar Pauliens ogen die weer flonkerden en grinnikte. 'Volgens mij heb je Paulien trouwens net dat duwtje gegeven dat ze nodig had om door te gaan, Dorien.'

Paulien kwam overeind. 'Het zal nog niet!'

Hongerig viel ik even later de keuken binnen.

'Dag pap, jij bent vroeg thuis!' Ik trok de deur van de koelkast open en zocht de schappen af naar een snelle snack.

'Ik dacht jou hier ook aan te treffen. Achter je boeken van geschiedenis.' Papa duwde de deur van de koelkast dicht en tikte op het schema voor mijn neus. 'Maar blijkbaar is je studieschema weer een keer veranderd?'

'Ik ga zo dadelijk mijn geschiedenis studeren. Maar als ik samen met de anderen kan oefenen voor het dansen, is dat veel efficiënter. Dan moet ik minder tijd steken in het oefenen voor het dansen en blijft er dus meer tijd over om te studeren', weerlegde ik. 'Maar dan moet ik natuurlijk wel oefenen op de momenten dat de anderen ook kunnen.'

'Het klinkt mooi. Maar zorg dat het in de praktijk ook werkt, Nore', waarschuwde papa. 'Ik geloof best dat het veel leuker is om in groep te oefenen voor het dansen dan eenzaam alleen achter je bureau geschiedenis te studeren.'

Ik knikte stil en staarde naar het schema dat me bijna verwijtend voorhield waar ik nu eigenlijk hoorde te zitten.

'Ik weet dat schema's niet je sterke kant zijn. Net daarom vond ik het een goed idee van mama om dit te doen. Maar afspraken zijn afspraken.'

'Ik studeer. Echt! Hard! Dat moet je geloven!' steigerde ik nu.

'Oh, ik geloof meteen dat jij je best doet. Maar zorg dat het ook genoeg is als je je best doet, Nore. Je bent slim.

Ik verwacht dat je punten dat ook tonen.' Papa keek
me van over zijn bril scherp aan. Het was die blik die
nog het meest weg had van röntgenstralen. Alsof hij
precies kon zien hoeveel leerstof er al in mijn hersenen
opgeslagen lag en hoeveel dansbewegingen mijn
benen en armen vandaag al gemaakt hadden. Het was
wel duidelijk naar welke kant de balans volgens papa
doorsloeg.

Ik trok de koelkast opnieuw open en staarde tussen de
peterselie en de yoghurt. Zonder iets te nemen, sloot ik
de deur. Ik had geen trek meer.

Ik vluchtte niet naar mijn kamer, maar naar de
badkamer. Met nijdige halen begon ik mijn haren
te borstelen. Ik ging zo ruw tekeer dat het pijn deed,
maar op den duur ging ik steeds kalmer borstelen. Tot
mijn haar dik en glanzend over mijn schouders hing.
Tevreden staarde ik in de spiegel. Mijn eigen, stiekeme
en misschien een beetje kinderachtige manier om
mezelf te kalmeren. Ik legde de borstel terug en duwde
daardoor de beker met tandenborstels omver. Die op
hun beurt een hele rij flesjes en potjes meesleurden.
Zuchtend begon ik alles uit de wasbak te vissen. Als
laatste bleef er een flesje aftershave over. Nieuwsgierig
draaide ik de dop open. Lekker luchtje. Ik snoof nog een
keer. Ik had het nog niet geroken rond papa en kon me
ook moeilijk voorstellen dat papa met zijn stoppelbaard
ooit aftershave gebruikte. Nu ik erover nadacht, had
ik nog nooit eerder aftershave in onze badkamer zien
staan. Zou Sebas zich scheren? Ik schudde mijn hoofd
bij die gedachte. Hij had amper vijf baardharen staan.
Toch? Ik snoof nog een laatste keer voor ik het flesje
terug op zijn plek zette. Charlot had gelijk. Er was
beslist iets aan de hand met mijn broertje.

'It was not your fault but mine, but it was your heart on the line.'

Mumford and Sons, Little lion man

'Komaan meisjes, dat moet beter kunnen! Jullie zitten met je hoofd veel te veel bij de auditie. Deze dans moeten jullie ook onder de knie krijgen. Je gaat je ouders toch niet teleurstellen op de opendeurdag? Je gaat mij toch niet teleurstellen?' Met veel vertoon liet Jesse zich de volgende donderdag smekend op zijn knieën zakken. Hier en daar klonk een giechel. Ik wreef over mijn vermoeide kuiten en was blij dat het einde van de les in zicht was.

'Hoe gaat het trouwens met het oefenen voor de auditie?' Jesse had zich nu in kleermakerszit op de grond voor de spiegel gezet. Hij keek nieuwsgierig de loft rond. Ik staarde naar de anderen in de spiegel voor mij. Hier en daar werd gebromd. Schaapachtig gegrinnikt. Er werden schouders opgehaald.

'Dat klinkt niet echt hoopgevend, meiden. Moet ik me zorgen maken?'

'We oefenen bijna elke dag bij mij thuis in de garage', antwoordde Ellen.

'Prima.' Jesse keek zichtbaar opgelucht. 'Ik hoef
jullie niet te vertellen dat dansen in Arno's voor onze
dansschool ook prachtige reclame is.'
'We oefenen ons te pletter', verzekerde Dorien. Ze
keek verontwaardigd. Alsof Jesse daaraan durfde te
twijfelen. En eigenlijk had ze wel een beetje gelijk dat
ze op haar tenen getrapt was.
'Zo mag ik het horen!' Tevreden kwam Jesse overeind.
'We doen het nog een keer van in het begin en dan
stoppen we ermee voor vandaag', besloot Jesse.
Ik verborg me achter Tara en Joke, zodat het minder
opviel dat ik de dans dit keer eigenlijk afhaspelde. Ik
was moe en ik had er genoeg van. Het enige wat ik
nu nog wilde, was verdwijnen in een lekker warm bad
met een dikke kraag schuim erop. Het was vanmorgen
beginnen te regenen en eigenlijk vond ik dat helemaal
niet erg. Het druilerige, grijze weer van vandaag paste
perfect bij mijn humeur.
Ik was de dance loft al bijna uit toen ik merkte dat
Charlot naar Jesse was gelopen. 'Zou ik nog kunnen
meedoen aan de auditie? Ik weet dat ik de voorstelling
van de dans heb gemist. Maar als ik met de hulp van
de anderen zelf oefen, mag ik dan toch nog meedoen?
De hele groep oefent samen, dat heb je net gehoord. Ik
kan bij hen proberen in te pikken.'
Iedereen was ondertussen naar de kleedkamer
verdwenen, maar ik bleef in de gang hangen, vlak bij
de open deur. Ik moest gewoon horen hoe dit gesprek
zou verdergaan.
'Je maakt het jezelf niet makkelijk, Charlot.'
'Ik weet het. Maar mag ik het proberen?' Charlots stem
klonk smekend nu. Bijna op de rand van tranen. Was
het daarom dat Jesse overstag ging?

'Wat mij betreft wel', antwoordde hij in elk geval. 'Ik ga niemand die graag wil dansen verbieden om te dansen.'

'Dankjewel, dankjewel! Je zult zien, ik ga heel erg hard mijn best doen!'

'Daar twijfel ik niet aan. Maar je weet...'

Ik liep snel naar de toiletten voor Charlot uit de loft zou komen en me in de gang zou betrappen. Ik liep het eerste hokje binnen, klapte het deksel naar beneden en liet me zakken op de pot. Charlot mocht toch meedoen! Dat was goed nieuws. Meer nog: dat was super! En toch verborg ik me nu in de toiletten in plaats van mijn vriendin te feliciteren. Misschien omdat ze mij nog helemaal niks verteld had over dat goede nieuws?

Ik hoorde voetstappen voorbij de toiletten passeren. Vast Charlot. Ik wachtte nog even, spoelde dan door en liep ook naar de kleedkamer. Ik aarzelde bij de deur. Die stond op een kier, zodat ik het gesprek aan de andere kant perfect kon horen.

'Super dat je toch nog mag meedoen, Charlot!' Dat was de stem van Ellen.

Ik stond nog te twijfelen bij de deur of ik zou binnengaan, toen ik bijna omvergelopen werd door Suze, die de kleedkamer uit kwam gestormd, haar gezicht op onweer. Het beviel haar duidelijk allerminst dat zij nu de enige van onze groep was die van haar ouders geen auditie mocht doen. Het gesprek in de kleedkamer ging ondertussen verder. Het was nu Dorien die het woord voerde.

'Wat heeft ervoor gezorgd dat je ouders van gedachten zijn veranderd?'

'Daar heb ik voor gezorgd, natuurlijk.' Charlot klonk voldaan.

'En hoe heb je dat dan gedaan?'

'Blijven vragen. Blijven zeuren.' Charlot klonk een beetje geïrriteerd nu.

'Denk je dat je ons nog kunt bijbenen? Je wilt niet weten hoeveel uren wij al geoefend hebben.' Dat was Paulien.

'Ik ga in elk geval mijn best doen. Ik hoop dat ik met jullie mee mag oefenen?' Voor het eerst klonk Charlot een beetje onzeker.

'Tuurlijk!' klonk het nu van alle kanten.

'Wat gaat Nore daarvan vinden?' Opnieuw Dorien.

'Vond je het ook niet wat kinderachtig van jezelf dat je zo jaloers was op Nore?'

'Is dat wat Nore jullie verteld heeft?' Charlots stem klonk hoger nu. Ze was zenuwachtig.

Ik spitste mijn oren.

'Nore heeft helemaal niks verteld', kwam Paulien voor me op.

'Dank je, Paulien', fluisterde ik.

'Nou, ik weet niet waar jullie dat idee vandaan halen, maar het is eerder omgekeerd. Dat kan ik jullie wel verzekeren.'

'Hoe bedoel je?'

'Nore is al zo lang jaloers op mij. Je wilt het niet weten! Ze pakt de zaken altijd zo onhandig aan bij haar ouders dat ze vaak geen toestemming krijgt. En dan kwam ze elke keer weer uitjammeren bij mij en vragen of ik niet kon helpen. Of mijn moeder geen goed woordje wilde doen. Dus ik had verwacht dat ze mij wel zou steunen nu het een keer omgekeerd was. Maar nee hoor. Ze liet geen kans voorbijgaan om erin te wrijven dat zij wel auditie mocht doen en ik niet. Daar word je niet vrolijk van, dat kan ik je wel verzekeren.'

'Dat kan ik me moeilijk van Nore voorstellen.' Paulien klonk ongelovig.

'Ik ook. Maar toch is het zo.' Charlot was stellig.

Ik hoorde geluid van ritsen die werden dichtgetrokken, schoenen die op de vloer ploften. Zo dadelijk zouden de eersten naar buiten komen. Zonder nog verder na te denken vluchtte ik naar de enige veilige plek in de buurt die ik zo meteen kon bedenken: de toiletten. De deur van het hokje klepperde achter me dicht en het kostte me drie pogingen voor ik met mijn trillende vingers toch eindelijk het slot onder controle kreeg. Hoe kon Charlot. Hoe kon ze zoiets vertellen! Ik had haar elke minuut gesteund en nu beweerde ze koudweg van niet. Zij was degene die mijn steun niet had gewild. Waar haalde ze het recht vandaan om de zaken nu om te draaien!

Het koude porselein van de toiletpot plakte aan mijn vel en hield het vast toen ik me verzette. Ik bleef op de pot zitten tot het laatste geroep en gelach was weggestorven in de gang. Als een haas sloop ik vervolgens naar de kleedkamer. Ik deed niet de moeite mezelf om te kleden, trok gewoon mijn jeans aan over de strakke short die ik had gedragen om te dansen en ritste mijn regenjas erover. Daarna propte ik al mijn spullen in mijn tas en liep naar mijn fiets. De druilerige regen van daarnet was overgegaan in een stevige plensbui. Het water glibberde langs mijn haren mijn nek in, ik moest mijn vingers om het stuur knijpen om te zorgen dat ze niet weggleden. Een lang, warm bad met de radio op de achtergrond en een zak chips op de rand. Dat beeld moest ik mezelf voorhouden.

Mama schudde haar hoofd toen ik als een verzopen

katje de keuken kwam binnenstommelen. Ze ging
een grote badhanddoek halen, zodat ik me eerst kon
afdrogen. Ik slurpte van de kom soep die ze voor me
neerzette.

'Charlot mag toch meedoen.'

'Dat is goed nieuws.'

'Het klinkt alsof je niet echt verwonderd bent?'

Mama ontweek mijn blik. Schepte voor zichzelf ook
een kom soep in en kwam dan tegenover me zitten. 'Ik
heb gisteren een lang, goed gesprek gehad met Isabel.
Over jullie tweeën. Over Charlot. Ik had het gevoel dat
ze wel begon in te zien dat haar strenge nee heel erg
streng was.'

'Eigenlijk heb jij ervoor gezorgd dat Charlot nu toch
mag meedoen.'

Mama viste een balletje uit haar soep. 'Dat zou ik nu
ook weer niet beweren.'

'Toch.' Zou Charlot weten wat er werkelijk voor gezorgd
had dat haar ouders overstag gingen? Zou ze mij dan
nog, achter mijn rug om, zo zwart durven te maken?

'Ik kan me voorstellen dat Charlot heel blij is.'

'Charlot wel.' Ik blies in mijn soep. Samen met mama
staarde ik naar de regen die nog altijd met bakken
naar beneden kwam. De rioleringen konden het water
niet meer slikken en er begonnen zich grote plassen op
het terras te vormen.

'Waar is Sebas eigenlijk? Ik zag zijn fiets niet in de
garage', veranderde ik van onderwerp.

'Hij is naar toneel. Iets over ene Manuela die in een
wassalon werkt.' Mama rommelde tussen de stapel
tijdschriften op de rand van de tafel en viste er een
folder uit. Ik bekeek de foto's van tieners die boven op
wasmachines zaten, stonden en lagen. Een podium vol.

'Ik wist niet dat Sebas naar toneel ging?' Verwonderd legde ik de folder terug op de stapel tijdschriften.
'Ik geloof dat er iemand uit zijn klas meespeelt.'
'Oh.' Ik staarde opnieuw naar buiten, waar het nog steeds hevig regende.
'Tijd en boterhammen, Nore. Tijd en boterhammen, daar krijg je zo ongeveer alles mee opgelost.' Mama gaf me een kneepje in mijn nek en keerde terug naar de mail die ze aan het typen was.
'Tijd en boterhammen', herhaalde ik. Ik hoopte uit de grond van mijn hart dat het zou werken.

Geurend naar lavendel en met verrimpelde vingers kroop ik na een uitgebreid bad uiteindelijk achter mijn bureau. Tijd voor mijn huiswerk dat ook nog gemaakt moest worden.
Hoi.
Zoals je weet hebben we maandag Engels...
Blij dat een chatsessie met Eric afleiding bood van mijn cursus aardrijkskunde, begon ik gretig een antwoord te typen.
Dat klopt. Zoals elke week... Maar het is vandaag nog maar donderdag, met maandag ben ik nog niet echt bezig...
Zullen we ons verkleden om die dialoog te houden?
Kunnen we die niet gewoon voorlezen en er vanaf zijn?
Tss Nore, zo hebben je ouders je toch niet opgevoed :-p
Wat stel je dan voor?
Ik heb hier nog het een en ander liggen, ik breng wel iets mee!
Ik fronste mijn wenkbrauwen. Voor ik Eric kon vragen wat hij precies bedoelde, begon er nog een gesprek te pinken. Ellen was ook online gekomen.
Hoi

Hoi

Moet je zien wat ik net op internet tegenkwam.

Ik klikte op de link die Ellen doorstuurde.

'Dancing doet het!' luidde de kop van het artikel. Het vertelde hoe het fenomeen jongerendancing steeds meer opkwam. Op de laatste party die in Arno's werd georganiseerd voor tieners kwamen maar liefst vijfhonderd mensen opdagen.

Vijfhonderd mensen! Stel je voor dat die aan je voeten staan terwijl je danst...

We worden nog idolen ;-) Oefen je handtekening maar vast. Ben jij al ooit naar een dancing geweest?

Nee, natuurlijk niet. Jij wel dan?

Ik bestudeerde de foto's van de laatste party in de dancing die bij het artikel stonden. Het ging er vrolijk aan toe, zoveel was duidelijk.

Nee ☹ Heb je de foto gezien van die organisator, Nico Brouwers? Nu moet ik er helemaal bij zijn ☺ taterde Ellen ondertussen voort.

Ik klikte op de foto, zodat hij vergrootte en ik de jongen die erop stond beter kon bekijken. Hij was genomen aan Arno's. Nico leunde nonchalant tegen de toegangsdeuren. Hij was groot, met brede schouders, een jolige grijns en donker haar dat in nonchalante piekjes overeind stond. Ik grinnikte en herinnerde me Stef, op wie Ellen een paar maanden geleden halsoverkop verliefd was geweest. In het grootste geheim. Al wist heel onze dansgroep het. En Stef dus waarschijnlijk ook. Of Henrik, wiens foto maanden in Ellens tas had gezeten. Ook al was Henrik drie jaar ouder en wist hij waarschijnlijk niet eens van Ellens bestaan af. Ellen viel duidelijk voor een type en Nico Brouwers was precies dat type.

Ik kan niet wachten om hem in het echt te zien. Tot morgen dan maar, filmavond! Charlot komt ook, ze mag van haar ouders nu toch meedoen. Maar dat wist je vast al, verscheen er nu op mijn scherm.

Ik duwde mijn bureaustoel achteruit, draaide nadenkend een aantal rondjes om mijn eigen as tot de stoel begon te tollen en ik bijna tegen de kleerkast kwakte. Uiteindelijk sloot ik het gesprek af met een nietszeggende *Bye!*

Ik duwde mijn hoofd tegen mijn opgetrokken knieën. Vanaf nu zou Charlot ook naar de repetities komen. De enige momenten in de week die ik nog had waarop ik gezellig met de andere meiden kon praten zonder dat ik voortdurend op mijn hoede moest zijn dat Charlot elke seconde kon opduiken. De momenten waarop ik, ook al was het afzien, toch vooral domweg van het dansen genoot. Omdat het om het dansen ging en niet om Charlot die heel nadrukkelijk een stevig eind uit mijn buurt danste. Die momenten was ik nu dus ook kwijt. Ik knabbelde nadenkend aan mijn nagels, iets wat ik al jaren niet meer had gedaan. Ik zou het gewoon moeten uitzitten, een andere oplossing was er niet. Ik kon vanaf nu toch moeilijk elke keer in de dichtstbijzijnde wc wegkruipen.

Ik bladerde door mijn aardrijkskundeschrift op zoek naar het juiste hoofdstuk. Toen ik alle Europese vegetatietypes min of meer uit het blote hoofd kon opsommen, vond ik het welletjes. Ik had verwacht Sebastiaan breeduit voor de tv in de woonkamer aan te treffen, maar het was er voor de afwisseling heerlijk rustig. Die zat duidelijk nog altijd op toneel. Ik rommelde een poosje met de iPad die in de zetel lag, zette dan toch 'Night fever' op en duwde de salontafel aan de kant. Mijn tenen kreunden en mijn knieën kraakten. Maar ik wilde het nummer elke dag minstens een keer dansen. En ik had het vandaag nog niet gedanst.

Ik sloot mijn ogen. Ik stond niet langer in de woonkamer. Ik danste, al de rest was bijzaak. Ik opende mijn ogen, telde af en begon.

Pas toen ik na afloop applaus hoorde, realiseerde ik me dat mijn ouders in de deuropening stonden.

'Dat zag er prachtig uit!' Mama bleef enthousiast applaudisseren. 'Ik kan niet wachten om je op dat podium bezig te zien.'

Papa zweeg. Maar hij applaudisseerde, dat was meer dan genoeg.

'Kom erin en zoek jezelf een plaatsje.' Uitnodigend
zwaaide Ellen de volgende avond haar arm de kamer
rond. Ik checkte snel de ruimte en was opgelucht dat
Charlot er nog niet was. Ik had nu toch in elk geval het
voordeel de eerste te zijn.

'Ik heb popcorn met karamel meegebracht.' Ik schoof
de popcorn tussen de andere snacks die al van de
salontafel puilden: een megapack paprikachips,
dipsaus met nacho's, chocolademuffins en iemand had
zelfs gevulde olijven meegebracht. Vast Dorien.

'Maar goed dat jullie zo'n grote tv hebben, Ellen',
grinnikte Joke. 'Anders zouden we moeten vechten voor
het beste plaatsje.'

Ik bekeek de gigantische flatscreen die aan de muur
leek geplakt en moest Joke gelijk geven. Je had bijna
het gevoel dat je in de cinema zat.

'Mijn vader en techniek', schokschouderde Ellen. Voor
ze meer kon zeggen, werd ze onderbroken door de
deurbel. Nog voor de kamerdeur was opengegaan,

wist ik al dat Charlot nu zou binnenkomen. Ik voelde het aan mijn schouders die zo ongeveer tot onder mijn oren trokken. Snel installeerde ik me naast Tara en Joke in de driezit en probeerde met veel interesse hun gesprek over de lipgloss van Hema te volgen.

Maar ik kon het niet helpen. Mijn blik werd naar Charlot gezogen van zodra ze in de deuropening verscheen. Aan de manier waarop ze een zak pindanoten in haar handen geklemd hield, zag ik dat zij zich ook allesbehalve op haar gemak voelde. Ze plofte zo snel naast Mieke in de sofa dat ze achter de tas van Joke bleef haken en bijna op Jokes schoot belandde. Een schrille giechel deinde door de kamer. Gelukkig ging de deurbel al opnieuw en Ellen vertrok om de laatste van ons groepje, Paulien, binnen te laten.

Zodra iedereen zich min of meer geïnstalleerd had rond de flatscreen, greep Ellen naar de afstandsbediening. 'Laten we er maar meteen invliegen.'

Ik probeerde mijn gespannen schouders weer naar beneden te krijgen door achterover te leunen terwijl de begingeneriek van de Bee Gees met 'Stayin' alive' in de woonkamer golfde.

'Moet je dat haar zien!' begon Dorien te giechelen van zodra John Travolta in beeld verscheen. 'Dat is zó oud.'

'Het is dan ook een film van 1977', merkte Joke droog op. 'Wat had je verwacht, Dorien?'

'Wacht maar tot je hem ziet dansen', kwam Ellen tussenbeide met een blik alsof ze er alles van afwist. Dat was gelukkig genoeg om de stilte te doen weerkeren. Geërgerd masseerde ik de achterkant van mijn nek. Als ik ergens een hekel aan had, was het wel aan mensen die voortdurend door een film heen zaten te praten. Zo kon je toch geen verhaal volgen!

Met grote ogen en rode kaken zaten we het volgende anderhalf uur naar de flatscreen te staren. Af en toe klonk er een onderdrukte giechel of zucht, maar meer dan het gekraak van de chips was er niet te horen.

Het verhaal was oeroud. Jongen ontmoet meisje. Maar dan wel gekruid met uittredende priesters, ongewenste zwangerschappen, zelfmoord en verraad, natuurlijk. Je zou bijna gaan denken dat het dansen maar een dun lijntje in de kant voorstelde. Tot je John Travolta aan het werk zag. Ik ging op den duur vanzelf meewiegen op het ritme van de muziek zodra hij in beeld verscheen.

Met een diepe zucht klikte Ellen uiteindelijk de eindgeneriek weg. Het bleef verdacht rustig in de kamer.

'Zijn haar is niet het enige dat fout is hé', brak Joke uiteindelijk de stilte.

'Zo is het toch altijd? De stoute jongens krijgen de meeste aandacht, ook van de meisjes', vond Paulien. 'Wie valt er nu op het stille, brave jongetje?'

'Ik zou het wel weten hoor', knikte Mieke met glinsterende ogen. 'Als zo iemand je vraagt om te dansen, dan zeg je geen nee.' Er klonk her en der in de kamer instemmend gebrom.

'En dan maar zeggen dat het vroeger beter was.' Dorien klonk smalend. 'Als mijn ouders deze film zien, laten ze me nooit meer naar de dancing.'

Charlot snoof. Ze was net als ik geen fan van Dorien. 'Je kunt gerust zijn, Dorien. Ze hebben hem gezien. Het is een klassieker.'

'Is dat waarom jij eerst niet mee mocht doen?'

Ik hoefde Charlot niet aan te kijken om te weten dat ze Dorien nu het liefst van al onder haar hiel zou platdrukken. Ik verborg mijn grijns achter mijn hand, benieuwd hoe Charlot zou reageren. Maar ze werd gered door Ellen.

'Iemand een muffin of een olijf?' Ellen duwde haastig een paar schalen in onze handen.

Terwijl ik het papier van mijn muffin pelde, luisterde ik hoe Charlot probeerde de aandacht van Doriens vraag af te leiden door omstandig een verhaal te beginnen over een marktkramer die haar kledingadvies had gegeven. Het lukte haar moeiteloos om iedereen geboeid te doen luisteren. Ook al was het eigenlijk maar een flutverhaal dat ze flink aandikte.

Nijdig kwam ik overeind en schudde mijn haar in mijn nek. 'Weet je waarin ik zin heb? *To strut*', citeerde ik de laatste woorden van John Travolta in de film. Onder luid gejoel paradeerde ik heupwiegend de woonkamer door.

'Daar kan Travolta een puntje aan zuigen', floot Joke.

'Nu ik!' Ellen sprong overeind. Even later liepen we allemaal om het stoerst door de kamer. Mieke schudde dramatisch met haar schouders, Joke molenwiekte iedereen uit haar buurt en de winnaar was zonder twijfel Ellen die zogenaamd nonchalant haar haren uit haar gezicht waaierde terwijl ze als een volleerd model de ene voet de andere liet kruisen. Mijn blik ontmoette kort die van Charlot toen we, allebei veilig aan een andere kant van de kamer, vol bewondering naar Ellens kunsten stonden te kijken. Betrapt keken we allebei ook even snel weer naar iets anders. Met een luide kreet stortte ik me opnieuw in het gewoel.

Het was passen en meten voor we tegen een uur of

halfeen uiteindelijk allemaal een plaatsje gevonden hadden voor onze luchtmatras op de vloer van de woonkamer. Ellen, die naast me was beland, bood me cola aan en ik dronk, ook al had ik net mijn tanden gepoetst. Maar ik zag hoe Charlot mijn richting uit kwam, dus ik kon elke afleiding gebruiken. Opgelucht merkte ik hoe ze doorliep naar Paulien, die half verborgen onder de zetel een roddelblad lag te lezen.

'Hé, heb je me wel gehoord?'

'Sorry, wat zei je?' Verontschuldigend probeerde ik me weer op Ellen te concentreren. Had zij Charlot hier eigenlijk voor uitgenodigd? Of zou een van de anderen dat gedaan hebben? Deze filmavond was verdorie mijn idee! Al ging hij natuurlijk wel door bij Ellen thuis... Hoe was dat eigenlijk zo gekomen? Het leek toen ik het voorstelde een goed idee om er een pyjamaparty van te maken, maar daar was ik nu minder zeker van. Voor het eerst in mijn leven keek ik ertegenop om de nacht met Charlot in dezelfde kamer door te brengen. Langzaamaan verstomde het gegiechel tot gefluister en gebrom, tot er alleen nog maar ademhaling was te horen in de woonkamer. Ik staarde naar de groene cijfers op de digibox. Zag hoe het één uur werd. Halftwee. Kwart voor twee. Zo geruisloos mogelijk draaide ik me op mijn andere zij. Ik duwde per ongeluk tegen de knie van Ellen, die gelukkig niet wakker werd. Ik draaide me weer om, zodat ik opnieuw naar de digibox kon kijken. Twee uur. Ik moest plassen. Onhandig klauterde ik van mijn luchtmatras. Gelukkig was het in de kamer maar schemerdonker, zodat ik nergens op handen of vingers trapte op weg naar het toilet.

Het felle licht in de gang deed pijn aan mijn ogen.

Ik strompelde naar het toilet, genoot van de koele tegels onder mijn voeten. Op de terugweg naar mijn luchtmatras aarzelde ik bij Charlot. Ze had zich naast Paulien gelegd, haar voeten onder de salontafel en haar rechterarm uitgestrekt over de roddelblaadjes die daarnet de ronde hadden gedaan. Ik hurkte neer en trok een tijdschrift onder haar vingers vandaan, voor ze dat nog verder omhoog zou duwen en het in haar gezicht zou belanden. Charlots wimpers bewogen zachtjes elke keer dat ze uitademde. Haar oogleden trilden. Zou ze dromen? Ik herinnerde me hoe ik ooit een keer gelezen had dat het veel makkelijker was om iemand te vergeven als je die persoon slapend zag. Slapend zagen we er namelijk allemaal een stuk onschuldiger uit. Er was iets van aan.

Ik bleef een hele poos zitten, tot mijn benen begonnen te tintelen omdat er geen bloed meer door stroomde en ik mezelf onhandig omhoogduwde. Ik keerde terug naar mijn luchtmatras en de digibox. Ik had het onheilspellende gevoel dat wij vannacht hele goede vrienden gingen worden.

Opgelucht plofte ik de volgende morgen neer op mijn eigen bed. Ik was voor dag en dauw bij Ellen vertrokken. Ik had tegen Ellens moeder, die net bezig was het ontbijt klaar te zetten, iets gemompeld over een afspraak die ik vergeten was en ik was op mijn fiets geklommen voor ze nog meer had kunnen vragen. Want wat had ik anders moeten zeggen? Dat ik onmogelijk nog langer met Charlot in dezelfde ruimte kon zitten? Dat ik haar dan ofwel naar de keel zou vliegen ofwel zou beginnen te janken en dat ik er ook geen idee van had welke van de twee te verkiezen was?

Ik duwde mijn gezicht in mijn eigen kussen, dat heerlijk vertrouwd naar wasverzachter met lavendel rook. Heel wat beter dan de duffe mat waarop ik de hele nacht met mijn neus half gelegen had. Ik stompte mijn rugzak van het bed, trok mijn benen op en hees het dekbed over mezelf. Het was nog maar acht uur. Er was nog niemand wakker hier in huis. Voor negen uur kwam zelfs mama in het weekend haar bed niet uit. En dat ging ik dus ook niet doen.

Met een suf hoofd werd ik een uur later wakker van gekrabbel onder mijn bed. Heel even dacht ik dat ik nog bij Ellen in de woonkamer lag en dat het Ellens kat was die aan het tapijt krabde. Ik tastte naar mijn eigen kussen. Mijn eigen dekbed. Ik lag in mijn eigen bed. Maar ik droomde niet, want het krabbelende geluid bleef duren. Ik tuurde tussen de schoenen en tassen die ik onder mijn bed had gestompt door, maar zag alleen maar stofnesten en een shirt waar ik al lang naar op zoek was. Terwijl ik het stof blies van wat ooit mijn blauwe lievelingsshirt was geweest, spitste ik mijn oren. Het gekrabbel was gestopt. Ik tastte tussen alle rommel en probeerde te kijken wat er zich tegen de muur onder mijn bed bevond. Liepen daar leidingen die dit soort geluid konden maken?

'Nore?'

Ik keek op naar mama, die in de deuropening stond.
'Ik dacht al dat ik hier geluid hoorde. Jij bent vroeg terug.'

Ik knikte. 'Huiswerk', mompelde ik dan verontschuldigend.

'Was het gezellig?'

'Ja hoor.' Ik kwam overeind en plukte een snipper papier van mijn blote knie.

'Ik ga straks met papa naar de markt. Zin om mee te komen?'

Ik rimpelde mijn neus. Rondstruinen tussen kraampjes vol vers fruit en olijven, een lekker vette hamburger eten of een knapperig gebakken wafel. Ik dacht niet dat ik daar nee tegen ging zeggen.

'Graag!' Mijn humeur werd op slag een stuk vrolijker. En daarmee had ik eindelijk het duwtje gevonden dat ik nodig had om mezelf aan mijn huiswerk van Nederlands te zetten.

Met goede moed begon ik. We moesten een lezersbrief schrijven en proberen om die ook echt gepubliceerd te krijgen. Ik was in de les al begonnen aan een brief over automobilisten die zich zonder pardon op het fietspad parkeerden en dat rustig blokkeerden terwijl zij snel een boodschap gingen doen. Het was iets waaraan ik me echt kon ergeren. Niet het minst omdat ik een paar maanden terug nog bijna van mijn sokken was gereden toen ik de straat op moest om zo'n auto te ontwijken, die bij nader inzien op het punt stond te vertrekken. De geschrokken bestuurder had staan brullen dat het mijn fout was, dat ik op het fietspad had moeten blijven. Hoe ik dat dan had moeten doen terwijl het geblokkeerd was, was hem duidelijk een zorg.

Ik besloot wat ik al had opgeschreven eerst uit te tikken op de computer, misschien kwam de rest van de brief er dan wel vanzelf uit. Niet dus. Ik tikte een zin, wiste hem weer en ging zo een poosje door tot ik overeind kwam om uit het raam te staren, op zoek naar inspiratie. Ik had nog een argument nodig, dan was mijn brief lang genoeg. Maar elke keer als ik mijn vingers op het toetsenbord legde, hoorde ik Charlot in

de kleedkamer weer vertellen hoe jaloers ik toch op
haar was. En elke keer opnieuw had ik het gevoel alsof
iemand in mijn maag stompte en tegelijkertijd mijn
keel dichtkneep.

Ik trok mijn benen op mijn bureaustoel en legde mijn
kin op mijn knieën, alsof ik mezelf wilde beschermen
tegen de gedachten die door mijn hoofd spookten.
Waarom moest ik vannacht toch naar het toilet gaan?
Want dat beeld van Charlot die sliep met haar armen
als een nest rond haar hoofd, kon ik evenmin vergeten.
Met een ruk trok ik mijn hoofd van tussen mijn
knieën. Al dat gepieker bracht me geen stap vooruit.
Laat staan dat mijn huiswerk zo afraakte.

Resoluut begon ik te typen aan een alinea over
hoffelijkheid in het verkeer. Een halfuur later rolde
mijn tekst uit de printer. Het zou zeker niet mijn beste
huistaak ooit zijn voor Nederlands, maar het moest
goed genoeg zijn. Kordaat trok ik mijn notities van
biologie van tussen de stapel schone kleren die ik nog
in de kast moest leggen. Als ik doorwerkte, kon ik nog
snel douchen voor we naar de markt vertrokken.

'Fool me, fool me, go on and fool me.'

The Cardigans, Lovefool

'Dat meen je niet!' Ontsteld keek ik naar de kleren
die Eric maandagmorgen voor me uitspreidde op de
speelplaats. Een grijze pruik, een gigantisch grote bril
met een goudkleurig motief, een wollen vest van zo'n
vijftig jaar geleden – dat ook rook alsof het vijftig jaar
geleden was dat het nog zeep had gezien – en een
rafelige bloemetjesrok.
'Dit hoort er ook nog bij.' Eric hield een paar verwassen
roze nylons en knalpaarse pumps omhoog.
'Dat doe ik niet aan! De klas ligt in een deuk als ik zo
binnenkom.'
'Dat is ook net de bedoeling', legde Eric geduldig uit.
'En je bent niet alleen, kijk: dit is wat ik aantrek.'
Ik bekeek de strakke, zwarte, glimmende broek en het
gouden glitterhemd. 'Als je het mij vraagt, kom jij er
heel makkelijk van af.'
'Dit dient om het geheel af te maken.' Eric haalde
een felgroene bril uit zijn tas, een paar zilveren
lakschoenen en een donkerbruin, wollig iets.

'Wat is dat?' Ik wees op de donkerbruine wol.

'Borsthaar.'

'Borsthaar', echode ik. Ik keek hulpzoekend naar Sofie, die er ondertussen bij was komen staan en duidelijk moeite deed om haar lach te onderdrukken. 'Jullie gaan de show stelen, zoveel is duidelijk.' Sofie snoof.

'Ja, lach jij maar!' Ik draaide me terug naar Eric. 'Dit kun je niet menen!'

'Hoe denk je dat clowns dat doen? Lachen doen de mensen toch. Kun je dan niet beter zelf in de hand hebben waarmee ze lachen?'

Ik staarde naar Erics sproeten. Hij was bloedserieus. Hoe graag ik op dit moment ook wilde dat hij in die hatelijke lach van hem zou uitbarsten en zou zeggen: 'Komaan, Nore, geloof je het nu echt?'

'We kunnen ook gewoon voor de klas gaan staan en de dialoog voorlezen, als jij je daar makkelijker bij voelt.' Met een overdreven sip gezicht begon Eric omstandig de kleding terug in een plastic zak te laden.

Verweesd liet ik mijn vingers door het valse borsthaar gaan. Ik wist best dat Eric nu ook maar een stukje toneel aan het spelen was. Hij was er goed in, in mensen te laten doen wat hij wilde dat ze deden. Echt niet alleen als het om lachen ging. Ik wist het. En toch liet ik me er evengoed door beïnvloeden. 'Oké dan', hoorde ik mezelf tot mijn eigen verbazing zeggen.

'Super! Komaan, we gaan alvast alles voorbereiden.' Eric gaf me niet de kans om nog iets te zeggen, maar sleurde me mee in de richting van ons lokaal.

Met een vuurrood hoofd stond ik even later de rest van de klas op te wachten. De pruik was te groot, waardoor ik ze voortdurend van mijn voorhoofd moest duwen.

Ze stonk naar haarlak, een geur die maakte dat mijn ogen gingen prikken. De schoenen waren dan weer te klein, ik moest met samengekrompen tenen door de klas strompelen. Maar het geroezemoes in de banken sprak voor zich. Effect en verwachtingen hadden we beslist gecreëerd!

'Iedereen is er meer dan klaar voor', knikte mevrouw Decock ons toe en zenuwachtig stotterde ik mijn eerste lijn van de dialoog eruit. Ik moest Eric nageven dat hij een stevig stukje toneel kon spelen. Hij was zo overtuigend als de arrogante carrièreman dat ik me als vanzelf meer ging gedragen als het verwarde oude vrouwtje dat ik moest spelen.

'*Goodbye. It feels like I have finally met the grandmother I never had.*' Met veel drama greep Eric me vast terwijl hij de laatste zin van onze dialoog uitsprak. Voor ik wist wat me overkwam, voelde ik een zoen. Niet echt op mijn mond, maar ook niet echt op mijn wang. Het gejoel en gefluit in de klas was niet van de lucht.

'*Okay, okay, thank you!*' probeerde mevrouw Decock de gemoederen te bedaren. Zo snel als mijn krappe schoenen het toelieten, vluchtte ik de gang op om me uit mijn tenue te hijsen.

'Je was geweldig. Vooral het einde was... levensecht', grijnsde Sofie toen ik naast haar op mijn stoel schoof. Ik stompte haar en wilde dat ik de gekke kus even makkelijk uit mijn hoofd kon stompen. Maar hij bleef de rest van de les in mijn gedachten hangen. Ik betrapte mezelf erop dat ik regelmatig mijn vingers legde op het stukje huid dat niet echt lip was, maar ook niet echt wang. Alsof ik Erics zoen daar nog altijd kon voelen.

Tijdens de middagpauze wandelde ik samen met Sofie naar de refter. Ik probeerde niet te kijken naar Charlot, die met een aantal klasgenoten maar een paar meter voor ons liep.

'Ik vraag me af wat sommige mensen denken als ze 's morgens voor de spiegel staan', hoorde ik Charlot zeggen. Iedereen keek naar meneer Deschacht van Frans, die ons voorbijwandelde op weg naar de leraarskamer. Zoals altijd droeg hij weer een kleurrijke combinatie. Een feloranje broek met een lichtblauw overhemd en een grofgebreid, groengrijs vest. Perfecte zomerkleding.

'Ik denk niet dat Deschacht iets denkt terwijl hij zijn kleren kiest', merkte Jonas op.

'Dat moet haast wel. Wat denk je, zouden er punten te sprokkelen zijn met kledingadvies?'

Ik giechelde en knabbelde alvast aan mijn boterham met kaas om dat te verbergen.

'Hoe dacht je dat aan te pakken?' Sofie stapte nu ook in het groepje. Ik bleef een beetje halfslachtig aan de rand bungelen.

Charlot grijnsde. 'Wacht maar tot je mijn standpunt ziet dat we voor Frans moesten uitschrijven.'

Sofie keek haar met open mond aan. 'Je hebt niet...'

'Ik heb geschreven over het gebrek aan modebewustzijn bij sommige mensen en hoe ze daarmee onbewust het straatbeeld verknoeien.'

'Je meent het!'

Charlot schudde van het lachen. 'Je zou wel willen. Nee hoor, ik heb gewoon geschreven over hondendrollen op de stoep. Wat dacht je!'

'Het zou toch vechten tegen de bierkaai zijn. Deschacht herkent een advies nog niet als je er met grote

drukletters boven zet dat het een advies is.' De
woorden waren mijn mond uit voor ik er erg in had.
Charlot begon te giechelen. Ik grinnikte nu ook. Tot
we elkaar verschrikt aankeken. Ik haastte me naar de
drankautomaat, ook al zat er een flesje sinaasappelsap
in mijn tas.

Met loden benen fietste ik na school in de richting van
Ellens huis. Charlot had zich naar goede gewoonte de
rest van de dag achter in de klas naast Tess verschanst.
Ik had naar goede gewoonte heen en weer gependeld
tussen Eric en Sofie.
Schoorvoetend liep ik de garage van Ellen binnen.
De meesten waren er al. Charlot stond in een hoekje
zichzelf op te warmen. Ellen en Tara waren voor de
spiegel alvast pirouettes aan het oefenen. Joke was
druk aan het tateren met Paulien terwijl ze hun haar
in een staart deden. Haastig gooide ik mijn tas in een
hoek en ging naast Emma staan.
Ik danste belabberd. Ik viel uit de maat, trapte op
Emma's tenen en zwaaide bijna met mijn vlakke hand
in Jokes gezicht toen ik de verkeerde kant op begon te
draaien. Zonder de tijd te nemen om te stretchen, griste
ik mijn spullen bij elkaar en sprong op mijn fiets zodra
Ellen de muziek uit zette. Ik zwaaide nog een haastige
'Dag', maar wachtte niet op antwoord en durfde ook
niet te kijken of er iemand zelfs maar de moeite nam
om me achterna te staren.
Ik voelde de brok groeien terwijl ik mezelf een weg door
het verkeer naar huis trapte. Hij begon in mijn buik,
kroop naar mijn keel, vulde mijn borstkas tot ik amper
nog lucht kreeg. Buiten adem smeet ik mijn fiets in
de garage en haastte me de trap op naar mijn kamer.

Ik gooide mijn spullen neer en liep door naar de badkamer. Met ongeduldige vingers stroopte ik mijn bezwete kleren af en liet de douche alvast opwarmen. Het moment dat ik onder de douche stapte, liet ik de brok in mijn lijf ook eindelijk oplossen in tranen. Ik hief mijn gezicht omhoog naar de douchestralen om het zout op mijn wangen niet te proeven. Charlot was twee maanden voor mij geboren. Ze was er altijd geweest en ik had dat ook altijd vanzelfsprekend gevonden. Voor het eerst vroeg ik me af hoe mijn leven eruit zou zien zonder Charlot. Zonder het soort domme maar oh zo belangrijke gesprekken die we zo vaak hadden. Zoals het daarstraks weer even een seconde was geweest. Tot nu toe was ik zo kwaad geweest op Charlot dat ik had weggeduwd hoe hard ik haar miste. Ik maakte mijn haren nat en probeerde me een leven zonder Charlot voor te stellen. Ik kon het niet. Hoe hard ik ook probeerde. Op een vreemde manier was dat een opluchting. Als ik het me niet kon voorstellen, kon het ook niet gebeuren. Toch?

Ik begon mezelf in te zepen, probeerde daarbij de grote blauwe plekken rond mijn knieën en de wondjes op mijn voeten zoveel mogelijk te ontzien. Dansen maakte mijn lijf beslist niet mooier. Ik bleef onder het water staan tot mama in de keuken de warmwaterkraan opendraaide en er ineens alleen nog koud water uit de douche kwam. Met een kreet sprong ik opzij en zocht een handdoek.

Terwijl ik mijn haren droogde, gleed mijn hand weer naar de plek waar Eric me daarstraks gekust had. De kus vatte Eric perfect samen, want ik was er nog altijd niet achter of het nu eigenlijk een echte kus was geweest of niet. Technisch natuurlijk wel. Maar daar ging het mij niet om. Ik tuitte mijn lippen naar mijn spiegelbeeld. Wat had Eric gedacht toen hij zijn lippen in een zoen voor mij tuitte? Was het gewoon een zoveelste trucje geweest dat hij uit zijn mouw schudde om zijn publiek te bespelen? Had hij gedacht dat hij evengoed van de gelegenheid kon gebruikmaken? Of had hij het vooral gezien als een mooie kans om mij nog eens lekker op stang te jagen en tegelijkertijd op het verkeerde been te zetten?

Ik begon mijn haren te kammen. Als ik Eric een beetje kende, was het waarschijnlijk van allemaal wel iets geweest. Ik ontwarde een klit. Wat wílde ik eigenlijk dat de kus betekende? Niet te veel, in elk geval. Oh zeker, Eric maakte sommige lessen een stuk minder saai en ik kende weinig mensen die zo gevat voor de dag konden komen als Eric. En dat lustte ik wel. Maar ik had het minder voor dat trekje van hem dat maakte dat ik altijd op mijn hoede was bij hem, me altijd afvroeg of hij wat hij zei nu meende of dat er eigenlijk iets anders meespeelde. Eric had veel gezichten en dat maakte hem bijzonder vermoeiend.

Ik grinnikte en schudde mijn hoofd. Eric moest me bezig zien. Apetrots zou hij zijn omdat hij precies het effect had gekregen dat hij voor ogen had. Maar hij kon me niet bezig zien, dus ik kon in gedachten lekker doorbomen. Dromen over Eric betekende dat ik niet zat te piekeren over Charlot. Dan was de keuze snel gemaakt.

Ik smeerde mezelf uitgebreid in met mama's nieuwe bodylotion die naar limoen en honing rook. Ik klikte de dop net terug op het flesje toen ik geritsel hoorde in de hoek van de badkamer. Eerst dacht ik dat ik mezelf vergiste, dat ik het geluid zelf had veroorzaakt met het flesje. Maar het geritsel bleef duren toen ik doodstil in het midden van de badkamer stond. Het klonk als gekrabbel, als een dier dat zich ergens een weg probeert uit te graven. Hetzelfde geluid dat ik laatst ook in mijn kamer had gehoord. Ik liet me op mijn knieën zakken en tuurde onder het badkamermeubel, maar ik zag alleen een oud spinnenweb. Het geritsel was ondertussen opgehouden en ik kleedde me verder aan. Met de klink van de deur al in mijn hand bleef ik op de drempel staan. Daar was het geluid weer.

Ik liep de trap af naar de keuken. 'Er ritselt iets in de badkamer.'

'Ons eigen huisspook?' Papa keek me grijnzend aan van boven het pizzadeeg dat hij aan het rollen was.

'Nee, echt. Er ritselde daarnet iets. En ik heb het nog nooit horen ritselen in de badkamer. Zaterdag heb ik datzelfde geluid trouwens in mijn kamer gehoord.'

Ik pikte een stukje mozzarella van mama's snijplank en deed alsof ik de blik die ze met papa uitwisselde niet zag. 'Wanneer gaan we eten?' veranderde ik van onderwerp.

Mama schepte tomatensaus op de pizza's. 'Over een halfuur. Dek jij alvast de tafel?'

Ik knikte en begon bestek te verzamelen.

♪ 'So let's set the world on fire,
we can be brighter than the sun.'

Fun, We are young ♫

'Word jij dat dansen nooit beu?'
De leraar wiskunde had net afgerond. De pauze begon en ik wilde mijn spullen bij elkaar ruimen. Maar Eric had mijn agenda afgepakt en was mijn weekschema aan het bestuderen. Echt vrolijk werd een mens daar niet van. De dagen waren hoofdzakelijk ingekleurd met studiemomenten en oefenmomenten voor het dansen. Om papa te overtuigen had ik het aantal studiemomenten nog wat opgedreven. En daar werd ik ook niet vrolijker van.
'Er is een auditie. Ik wil gekozen worden.' Ik keek Eric streng aan en trok mijn agenda uit zijn vingers.
'Om te mogen dansen voor alle ouders die willen komen kijken?' Eric keek me meelijdend aan. 'Laten ze je daar tegenwoordig auditie voor doen om je het gevoel te geven dat het werkelijk iets voorstelt?'
'Om te mogen dansen in Arno's', verbeterde ik hem triomfantelijk. 'Ken je die dancing?'
'Die dancing die jongerenparty's organiseert?'

Ik knikte. 'Als je gekozen wordt, mag je dansen op het podium van Arno's. Ze hebben een party voor tieners om het begin van de zomer in te luiden.'

'Je meent het.' Tot mijn teleurstelling keek Eric allesbehalve onder de indruk. 'Ik wist niet dat jij zo'n podiumbeest was.'

'Dat ben ik ook niet.' Ik haalde mijn schouders op. 'Ik hou gewoon van dansen.'

'Dat kun je toch ook gewoon thuis voor de spiegel doen.' Eric volgde me de speelplaats op. Hij was zoals een vlieg die je niet kon kwijtraken. Hoe meer je ernaar sloeg, hoe harder ze rond je hoofd bleef zoemen.

Ik bleef zo abrupt stilstaan dat Eric bijna tegen me opbotste. 'Heb jij al ooit voor publiek gedanst?'

Eric trok een wenkbrauw op. 'Heb jij me al ooit zien dansen?'

'Jij bent verslaafd aan aandacht, Eric. Doe nu niet alsof jij je niks kunt voorstellen bij dansen op het podium van een dancing!'

'Als ik kon dansen, stond ik daar. Daar twijfel je toch niet aan?'

Hoofdschuddend stopte ik mijn agenda in mijn tas. 'Nee, daar twijfel ik niet aan', beaamde ik.

'Ben je al eens in Arno's geweest?' ging Eric verder terwijl hij in zijn zak rommelde op zoek naar geld voor de drankautomaat.

'Jij wel dan?'

'Nee. Maar ik ga er ook niet *performen*.'

Ik grinnikte. 'Voor zover ik weet, *perform* jij overal.'

'Maar serieus. Je moet de sfeer toch een keer gaan opsnuiven. Het zijn dat soort kleine dingen die bij audities de doorslag kunnen geven.' Eric keek alsof hij er alles van afwist.

Ik schudde mijn hoofd. 'Volgens mij heb jij te veel naar al die dansprogramma's op tv gekeken.'

'Zullen we er straks na school eens langs rijden? Het is niet zo ver uit de buurt.'

'En wat was je dan van plan? Gaan aanbellen en zeggen: "hé, wij komen eens langs. Sfeer opsnuiven."' Ik begon te lachen.

'Misschien niet zo letterlijk, maar iets in die aard, ja.'

'Je bent niet goed wijs, weet je dat?' Lachend liep ik in de richting van Sofie, die tegen de muur geleund een appel stond te eten.

'En, ben je er klaar voor?'

'Waarvoor?' Niet-begrijpend staarde ik Eric aan terwijl de school in sneltreinvaart leegliep. Ik sprong vlug opzij voor een derdejaars die bijna over mijn teen reed met zijn fiets.

'Voor ons bezoek aan Arno's natuurlijk.'

'Alsof ze ons zouden binnenlaten.'

'Nee heb je, ja kun je krijgen. Je bent te bang om het te proberen, dat is het.'

'Ik ben niet bang! Ik vind het gewoon een dom idee. Je hebt mijn agenda gezien: ik heb wel wat beters te doen.'

'Je bent dus bang om dom te lijken.'

'Ik ben niet bang en niet dom.'

'Kom dan mee.'

Met open mond staarde ik Eric aan. 'Jij... jij bent goed, weet je dat...'

Eric knipoogde.

'... in het klempraten van mensen', vervolgde ik.

Eric grijnsde. 'Kom je?'

Ik zuchtte. 'Ik kom.'

Een keer op de fiets verwenste ik mezelf. Waarom had ik ook weer ja gezegd! Het zat hem in de manier waarop Eric keek als hij de vraag stelde. Die felblauwe ogen waarin altijd wel iets leek te twinkelen. Die maakten dat mijn mond ja zei, ook als mijn hoofd nee brulde. Dus hier reed ik nu, mijn domme grote mond achterna. Mopperend volgde ik Eric, die zich kordaat een weg baande door het verkeer. 'Hoe weet jij zo goed waar Arno's is?'

'Ik weet dat soort dingen gewoon.' Eric keek zo irritant zelfverzekerd dat ik bijna mijn remmen had dichtgeknepen en rechtsomkeert gemaakt, maar ik deed het niet. Want zo langzamerhand begon ik ook nieuwsgierig te worden. Ik wilde weleens weten of het Eric echt zou lukken in de dancing binnen te raken. Wat hij zou doen als we zo dadelijk simpelweg voor een gesloten deur zouden staan. Hoe hij zich daar uit zou praten.

Even later draaiden we de parking op van iets dat op het eerste gezicht op een oud pakhuis leek. Ik staarde naar de lichtreclame die in feloranje *Arno's* blokletterde. Er hingen affiches die de volgende party's aankondigden. Een prijslijst. En een aantal foto's. Ik bestudeerde de dansende tieners. Ik moest mijn ogen niet sluiten om mezelf daar tussen te zien staan. En stel je voor, stel je voor dat ik daar dan ook nog een keer op een podium tussen kon staan. Ik draaide rusteloos heen en weer. De gedachte deed mijn benen zo kriebelen dat ik ze niet stil kon houden. Ik tikte met mijn vinger op het laatste blad dat achter het raam naast de deur hing. De openingsuren.

'Ik denk niet dat er iemand thuis is, Eric.' Om mijn woorden te onderstrepen, duwde ik stevig tegen de zwarte klapdeuren. Ze gaven geen millimeter mee. Ik deed geen moeite om een tevreden grijns te onderdrukken.

Eric leek niet onder de indruk. 'Laten we de achteringang proberen.'

Met de fiets aan de hand wandelden we over het verlaten parkeerterrein.

'Hier doen ze duidelijk minder moeite voor toeters en bellen.' Eric keek naar de vuilniszakken die naast een uitpuilende container lagen opgestapeld. Iemand had een stel verdroogde rozen op lange stelen door de verroeste omheining gevlochten die het terrein afbakende. In een hoek naast de achterdeur lag een enorme stapel sigarettenpeuken. Ongemakkelijk liet ik mijn hoofd op mijn schouders rollen.

De achterdeur was uiteraard ook gesloten. Vastberaden begon Eric op het hout te bonzen. Het geluid weergalmde tussen de afvalcontainers.

'Eric, laten we naar huis gaan. Er gaat hier echt niet ineens iemand de deur opendoen om jouw gezicht te komen redden. Het was een dom idee om naar hier te komen. Daar zijn we het nu hopelijk toch wel over eens!'

'We zijn hier nu. Dan kunnen we toch evengoed alles proberen voor we naar huis gaan?'

Ik draaide mijn fiets om en wilde mezelf net afzetten, toen de achterdeur met een luide piep openzwaaide.

'Wat moeten jullie?'

Een lange, smalle jongen van een jaar of twintig verscheen in de deuropening. Hij droeg een afgesleten jeans met een rafelig gat op een van zijn knieën en een T-shirt waarop in grote letters *'You find it here'* stond. In zijn rechtermondhoek hing een stompje sigaret dat hij met een geroutineerde beweging boven op het hoopje in de hoek naast de deur gooide. Ik keek hulpzoekend naar Eric. Als die al overdonderd was, kon hij dat in elk geval goed verbergen.

'Hallo. Mijn vriendin doet auditie om hier op het podium te dansen tijdens de party op 30 juni in de tienerdancing.'

De jongen liet zijn ogen nu over mij glijden. Heel even had ik het akelige gevoel dat ik als koopwaar in het uitstalraam lag en gekeurd werd. Maar de glimlach die ik van de jongen kreeg, was warm en geruststellend. Hij paste helemaal niet bij zijn sjofele uiterlijk. Wat meer op mijn gemak liet ik mijn armen zakken, die ik tot nu toe als een schild voor mijn borst gekruist had gehouden.

'We vroegen ons af of we al eens binnen mochten kijken. We zijn namelijk nog nooit in een dancing geweest.' Eric voegde er een van zijn ontwapenende glimlachjes aan toe.

Nieuwsgierig keek ik of die ook op deze jongen effect zouden hebben.

'We zijn gesloten.'

'We willen alleen maar snel even rondkijken. De sfeer opsnuiven. We vragen ons af of het er net zo uitziet als in de film. Snel even naar binnen en dan weer buiten. Kan dat?'

De jongen tastte in de achterzak van zijn jeans en haalde een nieuwe sigaret tevoorschijn. Hij inhaleerde diep en blies de rook onze kant uit.

'Mijn vriendin wil hier de dertigste heel graag op het podium dansen,' herhaalde Eric, 'maar je weet vast wel hoe zenuwslopend die audities kunnen zijn.'

Ik schudde ongelovig mijn hoofd. Dit lag er toch veel te dik op.

Maar de jongen knikte instemmend. 'Vertel mij wat.
Ik sta op het punt door te breken als acteur, ik weet er
alles van!'
Ik kuchte overdreven om een opborrelende giechel te
verbergen. De enige rol waarin ik me deze jongen kon
voorstellen, was die van een soort vaag manusje-van-
alles. Precies de job die hij vandaag waarschijnlijk had.
Eric ging ondertussen zonder verpinken verder. 'Ze
is een prachtdanseres, ik ben er zeker van dat ze het
haalt. Maar zelf twijfelt ze natuurlijk, je kent dat wel.
En als ze al een idee heeft van hoe het er hier uitziet,
zou dat haar zelfvertrouwen zeker wat vooruit kunnen
helpen.'
Eric wierp de jongen een smalle grijns en een vette
knipoog toe die ik het liefst van al van zijn gezicht
wilde krabben. Maar ik bedwong mijn vingers, want
de jongen ging nu opzij staan. Hij blokkeerde de
deuropening niet langer.
'Ach, waarom ook niet. Maar stel je er vooral niet te
veel van voor.' Hoofdschuddend ging de jongen nu
helemaal opzij.
De woorden echoden in mijn hoofd terwijl ik snel naar
binnen schuifelde. We liepen een lange, smalle gang
door, passeerden toiletten en iets wat leek op een soort
kleedkamer. Het zag er allemaal grijs en grauw uit en
het stonk naar oud zweet. Helemaal niet het flitsende
en knallende dat ik me bij een dancing voorstelde. Ik
begon al bijna spijt te krijgen dat we naar hier waren
gekomen. Natuurlijk had ik het me in gedachten
allemaal weer veel te mooi voorgesteld!
En dan stonden we in de echte dancing. Ik tolde
een paar keer om mijn as in een poging alles zo
goed mogelijk te kunnen bekijken. De enorme

muziekinstallatie. De discobollen die een beetje
verweesd aan het plafond dobberden in het grijzige
daglicht dat naar binnen sijpelde door de smalle
dakvensters. De rode, nepleren krukken die tegen een
wand stonden opgestapeld. Ik snoof diep en rook een
vreemd soort lucht. Dit was eigenlijk een betonnen
doos zonder echte vensters en dat kon je ruiken. Er
bleef een vage geur hangen van rook, verschaald
bier en zwaar parfum. Ondanks de indrukwekkende
ventilatie die aan het plafond hing.
'Wat is het hier groot!'
'Er kan makkelijk duizend man in als het moet.' De
jongen keek nu trots. Alsof dat zijn verdienste was.
'Moet je die bar zien.' Eric liep naar de grote,
glimmend zwarte bar en sloeg er met zijn vlakke hand
op alsof het ding zijn eigendom was. 'Wil je niet liever
op de bar dansen?' Met een grijns draaide hij zich om.
Maar voor een keer had ik geen tijd om naar zijn
geplaag te luisteren.
Want ik liep ondertussen naar het podium dat in het
midden van de zaal was opgesteld. 'Staat het altijd op
dezelfde plaats?'
De jongen nam nog een trek van zijn sigaret en
schudde vervolgens zijn hoofd. 'Dat hangt ervan af wat
voor party het is, wat voor performance en wat voor
soort publiek er verwacht wordt. De drie p's, weet je wel.'
Ik vroeg me even af of hij dat laatste ter plekke verzon
om indruk op ons te maken, maar ik knikte toch maar
braaf dat ik het helemaal begreep. 'Wat doe jij hier
eigenlijk precies?'
'Ik ben zo'n beetje de manager van alles.' De jongen
maakte een gebaar alsof hij de hele ruimte wilde
vastpakken.

'Schoonmaker', zag ik Eric achter zijn rug mimen. Het feit dat Eric hem letterlijk achter zijn rug stond uit te lachen, maakte dat ik de jongen op slag aardig begon te vinden. 'Ik ben trouwens Nore en dat is Eric.'

'Jochen.'

'Moet je niet eens op dat podium gaan staan?' Eric kwam erbij staan nu en gaf me een por tussen mijn ribben.

Ik schudde mijn hoofd. 'Doe niet zo gek.'

'Waarom niet? We zijn hier nu. Ben je bang dat je je bekeken gaat voelen? Wat ga je dan doen als hier een paar honderd man staat?'

'Zo ziet het er hier natuurlijk maar leeg en kaal uit', kwam Jochen me te hulp. 'Eigenlijk moet je het zien als de verlichting goed zit en de muziek aanstaat.' Hij verdween achter de bar en begon te rommelen aan een groot paneel met schakelaars en knoppen. Het volgende moment flikkerde er blauwgroen licht door de ruimte. Het stuiterde als een bal over het podium. De stem van Adele schalde uit de boksen.

'Komaan.' Eric porde me nu in mijn rug. Ik haalde diep adem en hees mezelf op het podium.

'En, is het zicht van daar beter?'

'Waarom kom je er niet bijstaan?' Ik greep Eric bij zijn kraag voor hij van het podium kon weglopen. Eric liet zich niet kennen en begon onhandig op het ritme van de muziek heen en weer te paraderen. Ik schoot in een schaterlach, ik kon het niet helpen.

'Jij moet eens naar *Saturday Night Fever* kijken!'

'Hoor ik jou daar een vergelijking maken met John Travolta?'

'Je kent de film?' Verrast staarde ik Eric aan.

'Het is een klassieker.'

'Het is het nummer waarop we hier moeten dansen.'
'Ah. Wel, ik heb niet de drang om hier te paraderen.
Maar als jij een John Travolta wilt doen, zou ik zeggen:
het is er het moment voor, leef je uit.'
Ik wierp een schuinse blik op Jochen, die ondertussen
tegen de toog was gaan hangen en aan een volgende
sigaret was begonnen. Wat kon het mij schelen wat
Jochen van me dacht. En wat Eric van me dacht, dat
was toch allang een verloren zaak. Ik stond hier nu.
Op het podium. In een dancing! Ik kneep mijn ogen
tot spleetjes, gooide mijn haren achteruit, zette mijn
handen in mijn zij en begon te paraderen. De eerste
tellen ging het onhandig en houterig, alsof ik mijn
eigen lijf moest leren kennen. Maar tegen dat ik bij het
einde van het podium was, begon het al behoorlijk vlot
te gaan.
Ik draaide met veel sier en begon weer in de richting
van Eric te lopen. Die was nu aan het klappen op het
ritme van de muziek. *You go, baby!'* In de grote, lege
ruimte weergalmde zijn stem alsof er een hele menigte
naar me stond te brullen. Allemaal mensen die wilden
zien hoe goed ik was. Allemaal mensen die kwamen
om mij aan het werk te zien! Nu was ik pas goed op
gang. Met steeds meer air danste ik over het podium.
Pas toen Jochen de muziek af zette, liet ik mezelf
uitgeteld op het hout neerzakken.
'Jullie hebben het nu wel gezien, veronderstel ik.'
Jochen draaide nu ook de lichten weer uit.
Ik wreef het zweet van mijn voorhoofd en sprong met
een bons terug op de grond. 'Bedankt, Jochen.' Buiten
adem volgde ik hem opnieuw de smalle gang door
naar de achterdeur.
'Ja, bedankt Jochen', hoorde ik Eric nu ook afscheid

nemen. Ik tolde ondertussen als een gek op de parking rond. Mijn hart deed de rock-'n-roll tegen mijn ribben, mijn kuiten tintelden van het vele springen en ik was buiten adem. Maar tegelijkertijd had ik energie voor tien.

'Ik heb op het podium gedanst!' juichend fietste ik naast Eric de parking af. 'Kun je het geloven? Ik heb op het podium gedanst!'

'En je was geweldig ook!'

Ik grijnsde en zwaaide opgewekt naar een oud vrouwtje op een bank dat ons misprijzend zag passeren. *I'm a star, baby!*

Eric begon te lachen. 'Ik zou bijna gaan denken dat alleen al de lucht van een dancing jou high maakt.'

'Zelfs al word ik niet gekozen. Ik kan nu toch altijd zeggen dat ik op het podium van een dancing heb gestaan.'

'Je wordt gekozen.' Eric klonk stellig. 'Je bent gewoon gigagoed. Je verdient het om daar te staan terwijl er veel meer mensen voor je applaudisseren dan Jochen en ik.'

Ondertussen waren we bij het ronde punt aangekomen waar we elk een andere kant op moesten. Ik remde af. Eric deed hetzelfde.

'Je zou jezelf moeten zien als je danst. Het is bijna alsof je dan licht gaat geven.'

Ik begon te lachen. Het was niks voor Eric om met lof te zwaaien. 'Zo dadelijk ga je nog zeggen dat ik een aura krijg als ik dans en in een soort van heilige verander.'

Eric was oprecht gekwetst. 'Dat was een compliment.'

Ik keek naar de sproeten die samenhoopten op Erics lichtjes opgetrokken neus. Ik kon het niet helpen. Voor ik doorhad wat ik deed, had ik mijn armen om zijn nek geslagen en hem een stevige knuffel gegeven. 'Bedankt dat je me hebt meegenomen, Eric.'

Ik sprong snel op mijn fiets, voor er nog meer uit mijn mond zou komen. God wist wat ik dan nog allemaal zou zeggen. Grijnzend fietste ik naar huis. Ik had Eric geknuffeld. Ik had op het podium van Arno's gedanst. Vandaag was allesbehalve een van de saaie, strakke dagen die ik in mijn agenda had ingedeeld.

'Now you're just somebody that I used to know.'

Gotye, Somebody that I used to know

'Mam?' Ik stak mijn hoofd om de deur zodra ik mama's hakken de trap op hoorde komen. 'Hoe was het bij tante Isabel?'
'Gezellig.' Mama plofte op mijn bed neer en bevrijdde haar tenen uit de smalle, hippe schoenen die ze vorige week had gekocht. 'Waarom martelt een mens zichzelf toch zo? Alleen maar om mooi te zijn.' Kreunend strekte ze haar benen.
'Waarover hebben jullie het gehad?' wilde ik weten. Ik ging naast mama op het randje van mijn bed zitten.
'Over van alles en nog wat. Zoals altijd wanneer ik met mijn zus afspreek.'
'Hebben jullie over ons gepraat?'
Mama zweeg. Ze was nu de bal van haar linkervoet met beide handen aan het masseren.
'Wel?' drong ik aan.
'Schatje, wij kunnen jullie ruzie niet oplossen.'
'Jullie hebben dus over ons gepraat', concludeerde ik. 'Wat hebben jullie gezegd?'

'Wat ik net zei. Wij kunnen jullie ruzie niet oplossen.
Al vinden we het natuurlijk allebei heel erg, voor jullie
allebei.'

Het lag op het puntje van mijn tong om te zeggen dat
ze het best wat erger mochten vinden voor mij dan voor
Charlot. Ik was niet degene die achter Charlots rug om
zat te roddelen! Maar ik besloot erover te zwijgen, want
was ik anders niet precies hetzelfde aan het doen?

'Heb je Charlot gezien?' vroeg ik dus maar.

'Ja.'

'Wat zei ze?'

'Hallo.'

'En verder?'

'Verder niks.'

'Komaan, mam! Is dit niet het goede moment voor een
portie moederlijk advies?'

Voor mama daar iets op kon zeggen, werd ze de pas
afgesneden door gekrabbel dat van onder mijn bed
klonk.

'Wat was dat?'

Ik keek triomfantelijk. 'Hetzelfde gekrabbel dat ik
laatst in de badkamer hoorde. Ik zei toch dat ik dat
niet verzonnen had. Kan het niet iets met de leidingen
zijn?'

Mama liet zich op haar knieën naast het bed zakken
en tuurde eronder. 'Er lopen hier helemaal geen
leidingen.' Ze begon nu onder het bed rond te tasten
met haar hand.

'Pas maar op, wie weet wat je tegenkomt',
waarschuwde ik. Op dat moment begon het gekrabbel
weer.

'Papa moet er zo dadelijk maar naar kijken. Dit is niet
normaal', besloot mama.

Ik klakte met mijn tong. Opende mijn mond en sloot hem ook meteen weer. Ik had het gekrabbel gehoord in mijn kamer en in de badkamer. Sebastiaans kamer lag tussen mijn kamer en de badkamer. Dat de bron van het lawaai misschien dus bij Sebastiaan te zoeken was, lag volgens mij nogal voor de hand. Maar dat zei ik niet. Sebastiaan had er een hekel aan als mensen in zijn spullen rommelden. Hij zou er niet mee lachen als ik papa op zijn dak stuurde. Niet dat hij het niet verdiend had… Maar ik was in een vreemd milde bui vandaag, dus ik besloot te zwijgen.

'I wasn't looking for this,
but now you're in my way.'

Carly Rae Jepsen, Call me maybe

'Sebastiaan, heb jij mijn dansschoenen gezien?'
'Wat zou ik nu met jouw dansschoenen moeten?' Met
een geamuseerde blik op zijn gezicht kwam mijn broer
tegen mijn kamerdeur leunen.
'Ik ben er zeker van dat ik ze gisteren meteen toen
ik thuiskwam hier naast de kast heb gezet. Maar
daar staan ze nu niet. Als je denkt dat het grappig is
wanneer ik heel het huis overhoop moet halen om die
schoenen terug te vinden, heb je het mis, Sebastiaan.'
'Je bent iets kwijt, dus natuurlijk heb ik er iets mee
gedaan. Hoor je zelf wel hoe je klinkt?' Sebastiaan
klonk gekwetst nu.
Maar ik had geen tijd voor de gevoelens van mijn
broer. Zo dadelijk was de volgende repetitie bij Ellen.
Ik was al laat. Als ik nu nog moest zoeken naar mijn
schoenen, was ik helemaal te laat.
'Kun je niet op andere schoenen dansen voor een keer?'
Ik duwde mijn kapotte voeten onder Sebastiaans neus.
'Wil je dat het er nog erger gaat uitzien?'

Sebastiaan duwde zijn neus bijna tot tegen de gigantische blaar op de wreef van mijn voet, die gisteren was opengebarsten in een grote, glimmende wond. 'Kan het nog erger dan?'

'Zeg nu maar gewoon waar je ze verstopt hebt.' Ik ging op mijn hurken voor het bed zitten en begon in het wild rond te tasten tussen de rommel die daar allemaal onder lag.

'Als je nu had gevraagd of ik mee wilde helpen zoeken naar de schoenen die jij bent kwijtgespeeld...'

'Dan had je geholpen zeker?' Hoofdschuddend liet ik me nu op mijn buik zakken om nog verder onder het bed te kunnen tasten. Mijn mond reageerde eerder dan mijn hersens. Ik begon al te gillen nog voor mijn brein goed en wel geregistreerd had dat ik in iets warms en harigs greep. Iets dat beet. 'Een beest! Er zit hier een beest!'

'Er zit hier helemaal geen beest!' Sebastiaan klonk geschrokken nu.

Zo snel als ik kon, sprong ik boven op mijn bed en draaide ik me naar mijn broer. Sebastiaan klonk dan wel geschrokken, maar hij zag er helemaal niet geschrokken uit. Eerder betrapt.

'Houd jij een dier op je kamer, Sebastiaan?'

Mijn broer trok een wenkbrauw op. 'Jij laat toch geen kans voorbijgaan om te benadrukken dat ik mezelf als een beest gedraag?'

'Wat voor dier is het? Waar houd je het in? Laat je het gewoon rondlopen in je kamer? Zo gek ben je toch niet, mag ik hopen? Waarom heb je in vredesnaam een huisdier gekocht? Wat ga je doen als mama en papa erachter komen? Waarom heb je het papa niet verteld toen hij gisterenavond als een idioot op alle leidingen hier in huis liep te kloppen, op zoek naar een leiding die rammelde?'

Ik vuurde zoveel vragen af op mijn broer dat hij
er uiteindelijk automatisch eentje beantwoordde.
'Natuurlijk zit Elvis in een kooi. Denk je dat
ik helemaal idioot ben?' Sebastiaan was zo
verontwaardigd dat het een paar seconden duurde
voor hij besefte dat hij zijn mond had voorbijgepraat.
Voor ik meer kon vragen, huppelde er parmantig een
zachtbruin angorakonijn van onder mijn bed.
'Wat ben jij schattig!' Het was sterker dan mezelf. Voor
ik wist wat ik deed, zat ik al op mijn knieën om Elvis te
aaien. Hij knabbelde zachtjes aan mijn vingers.
'Volgens mij heeft hij honger. Geef je hem wel genoeg
te eten, Sebas?'
'Natuurlijk.'
'En heb je een kooi voor hem?'
Ik pakte Elvis op en marcheerde naar de kamer van
mijn broer, met Sebastiaan luid protesterend op mijn
hielen. Ik trok de kast open, duwde de rommel weg
die voor Sebastiaans bed stond opgestapeld en zag
al snel een grote, plastic konijnenkooi die bovenaan
afgesloten was met een metalen raster.
'Hoe kan Elvis ontsnappen als je de kooi goed afsluit?'
Sebastiaan haalde wanhopig zijn schouders op.
'Konijnen zijn best slim. Elvis is duidelijk een heel slim
konijn. Hij krabt aan de tralies van het deurtje tot het
opzijschuift. Ik heb al van alles geprobeerd om het te
blokkeren, maar hij kan telkens weer uitbreken.'
Ik grinnikte onwillekeurig. '*Elvis has left the building.*
Zijn naam is in elk geval wel goed gekozen.'
Sebastiaan lachte ongemakkelijk mee. Elvis begon te
worstelen in mijn armen, dus zette ik hem terug in zijn
kooi. Hij begon inderdaad meteen aan de tralies te

krabbelen. Terwijl ik erop stond te kijken, kon ik al zien hoe het deurtje een centimeter verschoof.

'Hij heeft een betere kooi nodig.'

'Dat kost geld.' Sebastiaan stak ongemakkelijk zijn handen in zijn zakken.

'Dus dit is wat er de laatste tijd zo stinkt.' Ik snoof nadrukkelijk.

Sebastiaan wriemelde zijn handen nu in elkaar. 'Ik probeer de kooi zo vaak mogelijk schoon te maken. Maar dat is niet evident, hier. Ik moet ook zien dat mama en papa me niet betrappen.'

'Dus ga je zelfs zover dat je hierboven citroenstank zit te brouwen om de stank van Elvis te verbergen.'

Sebastiaan keek betrapt. 'Was dat zo duidelijk?'

'Nu in elk geval wel.' Ik trok de kooi nu helemaal van onder Sebastiaans bed. 'Denk je nu echt dat je dit kunt geheimhouden?'

'Elvis is hier ondertussen toch al bijna een maand.' Sebastiaan kon een triomfantelijke grijns niet onderdrukken.

'Hoe kan hij eigenlijk uit je kamer ontsnappen? Dat hij uit zijn kooi ontsnapt is een ding, maar de deur van je kamer kan hij toch niet zelf open krijgen.'

'Er zitten gaten in de muur rond de leidingen.'

Pas nu Sebastiaan me erop wees, zag ik dat er inderdaad wat plaats was rond de leidingen die door al onze kamers liepen. Niet veel plaats. Maar wel genoeg voor een klein konijn als Elvis.

'Elvis gaat met andere woorden door het hele huis op stap.'

'Het gebeurt maar heel af en toe. Meestal heb ik vrij snel door dat hij weer eens uit zijn kooi ontsnapt is.'

'Heel af en toe is nog te vaak, Sebas. Wie weet hoeveel

leidingen Elvis ondertussen al heeft doorgeknaagd!
Je hebt het papa gisteren ook horen zeggen: er lagen
leidingen bloot die helemaal niet bloot horen te liggen.
Hij dacht al klemmen voor muizen te zetten.'

'Komaan, Nore.' Sebastiaan zwaaide onhandig met
zijn armen. Alsof hij plots niet meer wist waar hij
met zijn handen moest blijven. 'Je vertelt het niet aan
mama en papa. Please? Please, please, please?'

Ik rukte mijn blik los van Elvis en keek mijn broer
nu aan. 'Ze komen het toch te weten, Sebas. Eerder
vroeger dan later.'

'Maar...'

'Maar ze zullen het voorlopig niet van mij te weten
komen.' Ik had weinig medelijden met Sebas. Maar ook
al kende ik Elvis nog maar even, ik kon het nu al niet
meer over mijn hart krijgen hem te verraden. Want ik
wist precies wat papa zou zeggen als hij hoorde dat er
een konijn onder zijn dak zat.

'*Thanks!*'

Ik stak mijn hand op. 'Voor wat hoort wat, broertje.
Dat kun je zelf ook wel bedenken.'

Sebas keek me onzeker aan. 'Wat wil je?'

'Om te beginnen ga je me, als ik terugkom van de
dansles, vertellen waarom jij een konijn in je kamer
hebt zitten. Want dat is echt niet omdat jij zo'n grote
dierenvriend bent.'

Sebastiaan werd vuurrood tot achter zijn oren.

'Zorg dus maar dat je thuis bent als ik terugkom,
Sebas.' Ik bukte me en trok mijn dansschoenen uit een
kluwen T-shirts onder Sebastiaans bureaustoel. 'Deze
neem ik alvast mee.'

Ruim een kwartier te laat reed ik de oprit van Ellen op. Tot mijn opluchting zag ik dat de anderen nog aan het opwarmen waren.

'We dachten al dat je niet meer ging komen', begroette Emma me.

'Tuurlijk wel. Mijn broer had mijn schoenen verstopt', legde ik haastig uit.

'Er is niks mis met zelfvertrouwen hoor. Als jij denkt dat je het je wel kunt permitteren een repetitie over te slaan, ga je gang.'

'Waarom zou ik dat denken?'

Verward staarde ik naar Emma, die haast vijandig terugkeek. Ze draaide zich om, ten teken dat het gesprek voor haar was afgelopen. Ik draaide me even snel een andere kant uit, want ik voelde de blik van Charlot tussen mijn schouderbladen branden. Het was wel duidelijk dat haar geen woord van het gesprek ontgaan was.

Ellen draaide het volume van de muziek hoger en ik zocht haastig naar een plaatsje achteraan uit het zicht.

'Ik vind dat we Nore vooraan moeten laten dansen vandaag', brulde Emma door de garage.

Ontzet staarde ik haar aan. Wat was haar probleem met mij ineens? 'Ik sta hier prima.' Als ik iets wilde op dit moment, was het veilig opgaan in de massa en de brandende blik van Charlot zoveel mogelijk ontwijken.

'Waarom vind jij dat Nore recht heeft op een van de beste plaatsen?' wilde Dorien weten.

'Omdat we vandaag die achterwaartse val gaan oefenen. Nore is de enige van ons die hem al perfect kan.'

Ik begon het door te krijgen. Emma was heel slecht met haar achterwaartse evenwicht. De val was niet evident om mooi te brengen, maar Emma klungelde nog altijd maar wat aan bij die beweging.

'Ik vind anders dat Mieke die val ook prima doet.'

'Ik vind dat Nore hem met meer naturel brengt.'

Iedereen begon zich er nu mee te bemoeien.

'En wat als Nore dat niet wil?' kwam ik tussenbeide.

'Heb ik hier zelf ook nog iets in te zeggen?'

'Het is toch een compliment, Nore, dat we jou als voorbeeld willen gebruiken?' Emma klonk nu verontwaardigd.

Iedereen keek naar mij. Ik mompelde iets onbenulligs. Ik had het compliment veel liever niet gehad.

'Misschien is het wel een goed idee om de volgende repetities telkens de beste dansers voor de beweging die we gaan oefenen vooraan te zetten. Daar kan iedereen alleen maar van leren', vond Ellen. 'Wat denken jullie, Mieke en Nore? Dansen jullie vandaag vooraan?'

Dat was zo'n verstandig voorstel dat er weinig tegenin te brengen was. Met loden benen liep ik samen met Mieke naar de spiegels en knikte naar Ellen dat ze de muziek snel weer moest opzetten. Ik had het gevoel dat elke beweging die ik deed met argusogen in de gaten werd gehouden. Blikken die ook nog een keer weerspiegeld werden, zodat het werkelijk leek alsof ik van alle kanten bekeken werd. Het kwam mijn dansen allesbehalve ten goede.

'Waarom moest Nore ook weer vooraan gaan staan?' hoorde ik Tara mompelen.

Kwaad rechtte ik mijn rug. Ik kon verdorie dansen! Oké, ik werd nu in de gaten gehouden. Maar dat zou op de auditie ook gebeuren. Ik moest gewoon doen alsof al die blikken er niet waren. Ik focuste op mijn eigen ogen in de spiegel voor me. Bruin en geruststellend waren ze. Ik ging niet kijken als een wanhopige Bambi! Ik ging kijken als een professionele danseres die haar plaats op het podium verdient! Ik voelde hoe mijn buikspieren zich haast automatisch gingen spannen, hoe mijn rug zich rechtte. Het nummer begon opnieuw en dit keer danste ik iedereen plat. De stilte nadat de laatste tonen van de muziek waren weggeëbd, sprak boekdelen.

Triomfantelijk keek ik naar mijn eigen spiegelbeeld. Voor het eerst in mijn leven slaagde ik erin me al weken aan een soort van schema te houden. Een unicum voor mij. Dat die prestatie zo langzamerhand ook zijn vruchten begon af te werpen, was niet iets waar ik me voor ging schamen. Ontzettend trots was ik erop, en dat mocht iedereen gerust weten.

'Kunnen we dat middelste deel, die achterwaartse val gecombineerd met die pirouette, nog eens herhalen?' opperde Joke ten slotte.

'Ja, dat lijkt me een goed idee', stemde Charlot meteen in. Ik keek haar aan via de spiegel. Haar ogen spoten zo ongeveer vuur. Ik had best gezien, ook de vorige repetitie al, hoe Charlot probeerde in een hoekje weg te duiken zodat we niet zouden zien dat zij degene was die nog het meest klungelde met de dans. Dat alleen was voor Charlot al reden genoeg om vuur te spuwen. Maar dat uitgerekend ik dan ook nog een keer duidelijk goede kansen leek te hebben voor de auditie, dat kon Charlot duidelijk niet verkroppen. Zou ze beseffen dat ik probleemloos extra oefensessies met haar zou houden als we geen ruzie hadden? Dat we ons dan met zijn tweeën suf zouden repeteren tot Charlot de dans ook kon dromen? Ik bleef strak in de spiegel turen en tot mijn voldoening was Charlot de eerste die wegkeek.

'Cause two can keep a secret
if one of them is dead.'

The Pierces, Secrets

'Zo broertje, vertel eens.' Ik installeerde me samen
met Elvis op mijn gemak boven op Sebas' bed. De hele
situatie zinde mijn broer niet, dat was overduidelijk.
Maar hij protesteerde ook niet.
Ik kriebelde Elvis onder zijn kin en tuurde naar mijn
broer. Sebas had aan zijn computer zitten prullen
toen ik de kamer binnenkwam. Nu begon hij haastig
allerlei vensters dicht te klikken.
'Bang dat ik dingen ga zien die ik niet mag zien?'
Met opnieuw een vuurrood hoofd draaide Sebas zijn
bureaustoel rond, zodat hij mij kon aankijken. 'Wat
wil je weten?'
'Alles natuurlijk.' Ik zette Elvis op mijn buik en liet me
nog wat dieper in de kussens zakken.
'Er valt niks te vertellen, anders. Ik had een paar
weken geleden gewoon het domme idee dat ik een
konijn als huisdier wilde. Dat is alles.'
'Echt?'
'Ja, echt.' Sebas klonk wrevelig nu.

'Ik geloof er niks van.'

Sebas haalde zijn schouders op.

'En als ik je niet geloof, heb ik ook geen reden om te zwijgen over Elvis', ging ik genadeloos verder.

Ongerust rolde Sebastiaan zijn stoel dichterbij. 'Je hebt beloofd dat je zou zwijgen!'

'Ik heb gezegd dat ik voorlopig niks aan mama en papa zou zeggen', verbeterde ik hem. 'En in ruil daarvoor zou jij mij vertellen waarom Elvis hier zit.'

Sebas klemde zijn kaken op elkaar. Ik kon zijn gedachten en zijn tanden zien malen.

'Elvis is van Merle', begon hij uiteindelijk.

'Ah?' Afwachtend boog ik me naar mijn broer.

'Ze zit bij mij in de klas. Elvis is eigenlijk haar konijn, ze heeft hem nog niet zo lang.'

'Wat doet hij hier dan?'

'Haar zusje blijkt allergisch te zijn. Haar ouders wilden Elvis naar het asiel brengen.'

'En in plaats daarvan heeft ze hem naar jou gebracht.'

'Ik heb zelf voorgesteld voor hem te zorgen.'

'Waarom?'

'Hoe bedoel je: waarom?'

'Waarom heb je voorgesteld voor hem te zorgen?'

'Had jij dan liever dat Elvis naar het asiel moest?'

'Waarom uitgerekend jij?'

'Vind je mij dan zo'n dierenbeul? Kijk jij eigenlijk ooit verder dan je neus lang is?'

Ik wilde steigeren, maar hield mezelf in. Het was Sebas' bedoeling dat ik kwaad zou weglopen. Dan moest hij me niks vertellen. Ik knuffelde Elvis. En ineens vielen alle puzzelstukjes op hun plaats. Hoe kon het dat ik het niet eerder had gezien! Sebas die andere kleren ging dragen, zichzelf in de spiegel bekeek, naar toneel ging. En nu dus ook een konijn op zijn kamer verborgen bleek te houden.

'Je bent verliefd op Merle.' Ik kon de triomf in mijn stem niet onderdrukken.

Sebas antwoordde niet. Zijn oren kleurden alleen opnieuw vuurrood. En dat was antwoord genoeg.

Ik begon te giechelen. Dat Sebas een vriendinnetje zou hebben, was iets waar ik nooit aan gedacht had gewoon omdat het zo onwerkelijk leek. Mijn broertje die, nu mijn oogkleppen eindelijk waren verdwenen, overduidelijk vlinders in zijn buik had. Dat was... schattig. Ik zei het niet hardop, want ik wist dat Sebas dat allesbehalve schattig zou vinden. Ik greep naar Elvis, die verwoede pogingen deed om van mijn schoot te ontsnappen. Het nieuws maakte dat ik mijn kleine broer ineens wel met heel andere ogen ging bekijken.

'Dag Nore, dat is een tijd geleden!' Kathleen keek verrast op terwijl ik in de deur van de dance loft heen en weer stond te schuifelen.

'Mag ik vandaag met jullie meedansen?'

'Tuurlijk! Zin in wat afwisseling?'

Ik knikte haastig en mengde me tussen de groep. De filosofie van onze dansschool was dat je dansen alleen maar kon leren door het te doen. We waren dus vrij om alle danslessen te volgen die er georganiseerd werden, zolang we het niveau van de groep in kwestie maar enigszins konden volgen. Ik beperkte me meestal tot de lessen van Jesse omdat de show/jazzdance die hij gaf me het beste lag. Natuurlijk kwam er techniek bij kijken, maar het ging ook om gevoel.

De streetdance die Kathleen gaf, was technischer, maar ook stoerder. En vandaag had ik nood aan stoer.

Waar ik vooral nood aan had, was een keer iets anders dan het jaloerse sfeertje dat de laatste dagen steeds nadrukkelijker aanwezig was in onze dansgroep. Als er iemand tijdens het dansen de mist in ging – ook al was het maar een paar seconden – kon je gewoon horen hoe de rest van de groep zich daar inwendig vrolijk om zat te maken. Ook ik, ja. Als je een keer zelf belachelijk was gemaakt, deed je vrolijk mee als het de beurt was aan iemand anders. Ik stond er zelf van te kijken hoe makkelijk ik daarin meeging. Alsof ik toch van mezelf had verwacht dat ik meer karakter had.

Natuurlijk was Jesse ook niet blind voor de prikken en steken die werden uitgedeeld. Vorige les had hij ons zelfs streng toegesproken.

'Het lijkt op niks, meiden. Jullie hebben geen plezier meer in het dansen. Hoe kan iemand dan met plezier naar jullie kijken?'

Het was verschrikkelijk stil geworden in de loft. Wat konden we daarop zeggen? Niks zinnigs. Dus hadden we maar gezwegen. Tot in de kleedkamer, toch.

'We repeteren ons suf en dan is het nog niet goed!' Dorien was razend geweest.

'Ik denk dat hij gewoon bang is dat we ons wat verliezen in die auditie.' Ellen was zoals altijd haar redelijke zelf geweest.

Ik had naar Charlot gekeken, die stug haar haren had staan kammen voor de spiegel. 'Als je goed wilt zijn, moet je ook hard kunnen zijn. Als je dat niet kunt, heb je op die hele auditie niks te zoeken.' Een deel van de meisjes had instemmend geknikt, maar op andere gezichten had ik dezelfde verbijstering gezien die ik voelde na Charlots mededeling.

Haastig had ik de rest van mijn kleren aangetrokken.

Ik danste omdat ik het graag deed. En Jesse had gelijk: dat was te belangrijk om op het spel te zetten. Maar de meisjes met wie ik het altijd graag had gedaan, waren nu van kameraden aan het veranderen in concurrenten. Terwijl ik in de kleedkamer mijn shirt over mijn hoofd trok, had ik besloten dat ik de volgende les niet bij Jesse zou volgen. Dus nu stond ik hier tussen de streetdancers. Ik zocht een veilig plekje achter in de groep en begon vol ijver op te warmen. Waar ik me tijdens Jesses lessen af en toe kon permitteren even op gevoel mee te gaan, moest ik me hier voortdurend focussen op de bewegingen. Dat maakte dat ik na de les nog vermoeider was dan anders. Maar tot mijn grote tevredenheid stelde ik ook vast dat ik het hele uur lang niet de tijd had gehad om aan de auditie te denken.

'Hoe lukt het met de auditie?' Kathleen draaide na de les een flesje energy drink open en kwam op me toe wandelen.

'Het gaat', bromde ik.

'Dat klinkt niet overtuigend.'

'Het is gewoon dat iedereen gekozen wil worden. En dat kan natuurlijk niet.'

'Nee, dat kan niet', beaamde Kathleen.

'Heb jij toevallig nog tips?'

Kathleen nam de tijd om te drinken. 'Ik denk dat je voor jezelf goed moet uitmaken hoe belangrijk die auditie voor jou nu eigenlijk is.'

Ik knikte. Ik had meer praktisch advies verwacht. Tips over mijn werkpunten. Of liefst zelfs nog een compliment over mijn sterke punten. Maar ik zou het met deze raad moeten doen. Licht teleurgesteld vertrok ik naar de kleedkamer.

'Who can take a sunrise, sprinkle it with dew
Cover it with chocolate and a miracle or two.'

Sammy Davies Jr., The Candy Man

'Zullen we dat dan zo afspreken, Nore?'
'Zeker.'
Opgetogen schudde ik de uitgestoken hand van
meneer Degryse, mijn leraar Nederlands. Toen hij
me daarnet na de les wenkte dat hij me nog even
wilde spreken, brak het angstzweet me uit. Wat kon
ik misdaan hebben? Als er een les was waarin je
een speld kon horen vallen, dan was het wel die van
Nederlands. Degryse regeerde met ijzeren hand in
zijn lokaal. Met samengeknepen billen was ik naar
zijn tafel gelopen. Om te horen dat hij vond dat ik
een uitstekend artikel had geschreven over de bizarre
manier waarop onze school afval sorteerde.
'Heb je journalistieke ambities, Nore?'
'Niet meteen. Ik dans vooral graag.' Zodra ik de
woorden eruit had gestotterd, kon ik mezelf wel voor
het hoofd slaan.
'Oh. Wel... Blijven schrijven ook, zou ik zeggen.'
'Dat zal ik doen.' Met een brede grijns nam ik afscheid.

Op wolkjes zweefde ik naar de fietsenstalling. Mijn tekst kwam in de schoolkrant, want hij was zo goed. Ik huppelde de laatste meters naar de fietsenkelder en draaide een pirouette om het nieuws te vieren.

'Zo, Degryse heeft je vast geen strafwerk gegeven dan', klonk het plots van achter me.

Betrapt liet ik mijn fietssleutel vallen. 'Eric! Wat doe jij hier?'

'Op jou wachten. Maar ga gerust verder met je dansvoorstelling. Je weet, ik zie je graag dansen.' Eric kwam van achter een muurtje op me afgelopen.

'Als je me wilt zien dansen, kun je naar de voorstelling van Dancing Dreams komen.' Met rode wangen graaide ik naar mijn fietssleutel, die natuurlijk onder de vuilnisbakken was gerold.

'Of ik kan op 30 juni naar dancing Arno's komen.'

'Dat is nog lang niet zeker.'

'Volgens Ellen anders wel.'

'Hoe bedoel je?'

'Ik hoorde haar daarstraks met Mieke over jou bezig. Ze waren aan het klagen dat jij het zo goed deed, terwijl zij zichzelf zo hard afpeigeren en de dans nog altijd niet onder de knie hebben.'

'Je hebt hen gewoon afgeluisterd!' Ik wilde Eric kwaad aankijken, maar het lukte niet.

'Als het over jou gaat, zijn mijn oren altijd gespitst, dat zou je toch wel mogen weten.'

Ik tuurde naar de grond en slaakte een zucht van verlichting toen ik eindelijk mijn fietssleutel tegenkwam, geklemd onder de pootjes van een glascontainer.

Ik schudde mijn hoofd. 'Laat het me weten als ik een stalker heb, Eric.'

'Dans voor mij.'

Ik werd zo verrast door de vraag die eigenlijk niet eens een vraag was, dat ik mijn sleutel prompt weer liet vallen. 'Wat zeg je?'

'Dans voor mij.'

'Denk je dat ik een of ander poppetje ben dat keurig voor jou begint te dansen als je daarom vraagt?'

'Tuurlijk niet.' Eric schudde ongeduldig zijn hoofd. 'Ik zie je gewoon graag dansen.'

Ik keek naar hem, op zoek naar een verborgen lachrimpel die ik niet vond.

'Je meent het', mompelde ik ten slotte.

'Dus? Dans je nu voor mij?'

'Ik heb het je daarnet al gezegd: als je me wilt zien dansen, moet je maar naar de voorstelling van Dancing Dreams komen.' Soms was Eric echt nog gekker dan ik al dacht.

'En wat als ik mét je wil dansen?' Erics stem was zacht geworden nu.

'Hier? Nu?' Ongelovig keek ik de fietsenkelder rond. Er stonden nog een vijftal fietsen, dus de kans was klein dat er zo meteen iemand kwam binnengelopen. Wie ging er nu met dit mooie weer in een kelder zitten? Tenzij de conciërge zo dadelijk de vuilnisbakken kwam legen, natuurlijk.

'Waarom niet? Jij bent hier. Ik ben hier. Er is ruimte en er is muziek. Alles voorhanden wat nodig is', onderbrak Eric mijn gedachten.

Met een scheef hoofd luisterde ik naar de krakerige radio op de achtergrond.

'Volgens mij is het nog een slow die ze nu spelen ook', vervolgde Eric met een plagerig lachje. Hij stak zijn hand uit. 'Je bent best nieuwsgierig naar hoe ik dans, geef maar toe.'

Ik schudde lachend mijn hoofd, gooide mijn rugzak neer en pakte Erics hand vast. Ik was inderdaad nieuwsgierig. Maar geen haar op mijn hoofd dat dat ging toegeven. Eric liet me in het rond draaien, duwde me tollend weg en trok me weer dichter, joeg me naar alle kanten van de fietsenstalling om me ten slotte buiten adem tegen zich aan te trekken.

'En? Wat vind je van mijn danstalent?' fluisterde hij in mijn haren.

Ik snoof. 'Je hebt verdomd veel talent om anderen aan het werk te zetten, maar dat wist ik al. Wat heb jij nu gedanst de voorbije twee minuten? Niks toch?'

'Ik dacht dat het de taak van de man was om de dans te leiden?'

Ik schudde mijn hoofd en zweeg.

'We zijn ondertussen al minstens een halve minuut samen aan het dansen', merkte Eric dan op.

Toen pas drong het tot me door dat we inderdaad samen tussen de fietsenrekken stonden te schuifelen. Ik wilde me losmaken, bedacht me hetzelfde moment en voor ik een besluit kon nemen, maakte de muziek al plaats voor een overenthousiaste presentator die het weerbericht aankondigde. 'Bedankt voor de dans, schoonheid', fluisterde Eric ergens ter hoogte van mijn oor. Ik voelde iets wat verdacht hard leek op een kus in mijn haar. Voor ik nog iets kon zeggen, was Eric uit de fietsenstalling verdwenen.

In de war zocht ik mijn spullen bij elkaar. 'Maak je geen illusies, Nore', sprak ik mezelf streng toe terwijl ik de fietsenkelder uit reed. 'Je leven is op dit moment al vermoeiend en ingewikkeld genoeg. En trouwens, je bent helemaal niet verliefd op Eric.' Als ik aan Eric dacht, voelde ik helemaal niet die beroemde vlinders in mijn buik. Ik had veel meer het gevoel alsof ik net uit de achtbaan was gestapt. Die combinatie van uitgelatenheid en opluchting. Omdat je het gedurfd hebt. En het was leuk. Maar dat had helemaal niks te maken met verliefd zijn, toch?

Ik keek op mijn horloge. Ik moest voortmaken, anders was ik te laat bij Ellen voor de volgende repetitie. De weg naar haar huis kon ik ondertussen uit mijn blote hoofd tekenen. Fluitend draaide ik de oprit op, maar de garagepoort was gesloten. Ik kneep mijn remmen dicht. Ik vergiste me toch niet? Het was woensdag en op woensdag oefenden we altijd om halfeen, omdat Ellen in de namiddag nog naar haar grootouders moest. Het was nu één na halfeen. Ik parkeerde mijn fiets voor de garagepoort en liep naar de voordeur. Ik belde aan, ook al wist ik vrij zeker dat er niemand zou komen opendoen. Er was niemand thuis. De zijdeur die anders altijd openstond voor de kat was dicht. De rode Peugeot waarmee Ellens moeder reed, stond niet op de oprit.
Ze hadden de repetitie afgelast en hadden niet de moeite genomen om mij dat te vertellen. Zo simpel was het. Dit was toch al te gek! Misschien hebben ze er niet bij nagedacht dat ik na de vorige repetitie zo snel naar huis ben vertrokken, probeerde ik mezelf op weg naar huis te sussen. Misschien hebben ze het toen afgesproken en dachten ze dat ik er nog was en het dus ook wist. Zo kon het best gegaan zijn. De gedachte maakte dat ik niet meer als een razende over het fietspad vloog. Ik liet me achteruit op het zadel zakken. Maar de vieze smaak in mijn mond bleef.

Met een gezicht op onweer kwakte ik mijn fiets
in onze garage. Besluiteloos draaide ik even later
rond voor mijn bureau. Ik kon natuurlijk eerst mijn
huiswerk maken. Maar op dit moment stuiterden mijn
gedachten alle kanten uit. Geen sprake van dat ik me
zou kunnen concentreren op Frans. Trouwens, ik wilde
ook voor het dansen oefenen. En het zag ernaar uit dat
ik dat vandaag alleen zou moeten doen. Tenzij... In
een impuls greep ik naar mijn gsm. *Zin om me vandaag
toch nog te zien dansen?*
Eric antwoordde binnen de minuut. *Zeg me waar en
wanneer...*
Ik aarzelde. *Ik kom nu naar jou?*
Kom maar af!
Voor ik me kon bedenken, rende ik met mijn rugzak
alweer de trap af.

Dit was een dom idee. Ik vervloekte mijn eigen
impulsiviteit toen ik even later voor Erics huis stond.
Als ik niet zo kwaad en verontwaardigd was omdat de
anderen me gewoon vergeten waren, zou ik Eric nooit
hebben ge-sms't. En nu stond ik hier wel!
'Alles staat klaar voor de ster van de avond', kondigde
Eric met een mysterieuze glimlach aan terwijl hij me
binnenliet.
'Ik hoop dat je verwachtingen niet te hoog gespannen
zijn', temperde ik meteen. 'Ik kom hier om te oefenen.
En het is nog maar vroege namiddag.'
Eric rechtte zijn rug. 'Ik zal streng maar rechtvaardig
mijn oordeel vellen.'
Ik glimlachte zenuwachtig en volgde hem naar het terras.
'Schaduw maar toch buiten', knikte Eric. 'Het leek mij
de geschikte plek.'

'Prima', mompelde ik terwijl ik aan mijn shirt frummelde.

'Ik heb verschillende versies van 'Night fever' voor je klaargezet. Welke wil je graag hebben?' Eric rommelde met een iPod die hij vervolgens in mijn handen duwde. 'Hier, dat kun je beter zelf doen. Dan ga ik ondertussen iets te drinken halen. Water?'

Ik knikte, startte het juiste nummer en concentreerde mezelf op mijn weerspiegeling in de gigantische ruit die het terras van de keuken scheidde. Automatisch rekte ik mijn rug en strekte mijn benen. Een paar buikspieroefeningen moesten voldoende zijn om op te warmen, besloot ik.

Ik had het nummer op repeat gezet en toen het voor de tweede keer begon, begon ik ook aan de dans. Ik draaide, sprong, boog... als een bezetene. Ik had het gevoel dat ik meer aan het vechten was met de muziek dan aan het dansen, maar dat kon me niet schelen. Ik kon moeilijk op Eric gaan meppen voor iets wat hij helemaal niet had gedaan.

Na vijf keer zette Eric de muziek af en toen pas realiseerde ik me dat hij in een hoekje van het terras op de grond was gaan zitten en me zat te bekijken.

'Ik had niet gedacht dat jij je zo onzichtbaar kon maken', probeerde ik het ongemakkelijke gevoel dat ik ineens weer kreeg weg te lachen.

'Tijd voor het verdict', antwoordde Eric met een plechtige stem.

Ik pakte het glas water dat hij aanreikte en liet me naast hem op de grond vallen.

'Volgens mij heb je je gek geoefend op die achterwaartse val, want die doe je perfect. Maar daardoor valt het extra hard op dat je nog niet echt veel tijd hebt gestoken in de pirouette. Waarschijnlijk omdat dat het stuk van de dans is dat je al het best kon?'

Ik klokte de rest van mijn water naar binnen terwijl ik nadacht over een antwoord. Ik wist niet wat ik precies verwacht had dat Eric zou zeggen. Dat hij zo genadeloos de nagel op de kop zou slaan, had ik in elk geval niet zien aankomen. Misschien had ik Eric onderschat. 'Dus?' vroeg ik uiteindelijk.

'Je oefent de rest van vandaag pirouettes tot je dolgedraaid bent. En dan maai je op die auditie iedereen plat. Zonder twijfel.'

Mijn blik verdwaalde in Erics sproeten. Het was de eerste keer dat ik zo'n onverholen bewondering op zijn gezicht zag en daar wilde ik niks van verloren laten gaan.

Eric gaf me een klap op mijn schouder. 'Komaan, dame! Pirouettes oefenen!'

'*Yes, sir!*' Lachend krabbelde ik overeind.

Het volgende halfuur oefende ik pirouettes. Tot ik de hele tuin om me heen zag tollen.

'Mooi zo.' Eric klonk tevreden. 'Als je nu je sleutels terug weet te pakken, dan heb je een stuk zelfgebakken chocoladetaart verdiend.' Hij rinkelde uitnodigend met mijn huissleutels voor mijn gezicht.

Ik greep ernaar, maar Eric hoefde ze niet eens weg te trekken om ze buiten mijn bereik te halen. Alles tolde nog zo hard om me heen dat ik er toch compleet naast pakte.

'Wel een beetje je best doen!' Eric rinkelde opnieuw met de sleutels.

'Zelfgebakken taart als in: jij hebt ze gebakken?' vroeg ik voor de zekerheid.

'Uiteraard!'

Ik stortte mezelf op Eric en kreeg na een korte worsteling mijn sleutels te pakken toen ik erachter kwam dat Eric helemaal niet tegen kietelen kon. Ik moest mijn vinger nog maar naar hem uitsteken of hij plooide al dubbel van het lachen.

'Jij hebt gewoon geen buikspieren!' Hoofdschuddend porde ik mijn vinger opnieuw tussen Erics ribben.

'Waarom zou ik buikspieren nodig hebben?' probeerde Eric tussen twee lachbuien uit te brengen.

'Sterke buikspieren maken dat je sterk in het leven staat, Eric. Dat weet je toch wel? Heb je Jesse…'

Ik zweeg abrupt. Natuurlijk wist Eric dat niet. Hij had Jesse nog nooit ontmoet, laat staan dat hij hem ooit had bezig gehoord over buikspieren. Betrapt staarde ik naar mijn afgepeigerde voeten. Heel even had ik gedacht dat ik hier met Charlot aan het lachen was. Terwijl Eric toch in de verste verte niet op Charlot leek.

'Ze mist jou ook', verbrak Eric na een poosje de stilte.

'Hoe kun jij dat nu weten?'

Eric haalde zijn schouders op. 'Dat weet ik gewoon. Jullie zien er allebei verweesd uit. En allebei te koppig om toe te geven dat jullie elkaar missen.'

'Het is niet mijn fout dat Charlot zo kleinzielig reageert!'

'En wat win je met je grote gelijk? Komt Charlot ermee terug?'

Ik wilde een verontwaardigd antwoord geven. Eric hoorde aan mijn kant te staan. Maar ik zweeg. Want hij had gelijk.

'Wat is er het belangrijkste? Dat jij gelijk hebt of dat het goed komt met Charlot?'

'Ik zie niet in waarom het of… of… moet zijn', mompelde ik uiteindelijk.

'Hoog mikken, *that's my girl*.' Eric klopte op mijn schouder en liet zijn hand een poosje liggen voor hij overeind kwam. 'Je hebt vals gespeeld, dus je moet wel zelf je stuk chocoladecake afsnijden.'

Ik sneed een grote plak van de cake die hij op de terrastafel legde en beet gulzig. De smaak kwam me vreemd bekend voor, maar het duurde even voor ik hem had thuisgebracht. 'Dit is cake uit een pakje, nietwaar?'

'Ik zei dat ik hem zelf gebakken had, niet dat ik hem zelf gemaakt had', preciseerde Eric. 'En geef toe: hij smaakt toch!'

'Hij smaakt naar luiheid', plaagde ik.

Eric zwaaide dreigend met het mes waarmee hij voor zichzelf een plak aan het afsnijden was. 'Heb jij nooit taart uit een pakje gemaakt?'

'Toen ik vijf was.'

'En was je toen niet verschrikkelijk trots op je taart? En zei iedereen niet dat ze verrukkelijk smaakte?'

Ik glimlachte. Dacht terug aan mijn allereerste chocolademisbaksel. Ongelooflijk trots was ik erop geweest. En ik had er nauwlettend op toegekeken dat de cake tot de laatste kruimel werd opgegeten.

'Wel dan?' Eric klonk tevreden. 'Het voelt goed, nietwaar? Om weer even vijf te kunnen zijn en oprecht verschrikkelijk trots te zijn omdat je iets doodeenvoudigs hebt gedaan?'

Ik likte mijn vingers af. 'Geef me nog maar een stukje.'

Lachend kroop ik laat die namiddag terug op mijn fiets naar huis. Ik staarde naar mijn spiegelbeeld in de etalageruiten die ik passeerde. Ik zag er blij uit. Tevreden. Domweg gelukkig. Als een kind van vijf. En zo voelde ik me ook, stelde ik verbaasd vast. Zelfs de wetenschap dat ik nu nog aan mijn huiswerk moest beginnen, kon mijn goede humeur niet verpesten.

Terug thuis gooide ik mijn spullen op mijn bed, startte mijn computer op en checkte tegelijkertijd mijn gsm. Ik had een mailtje en een berichtje van Ellen, zag ik. *Waar was je vandaag?*
Ik snoof. Waar was ik vandaag? Waar was zij vandaag geweest? Ik zag dat Ellen ook online was en begon driftig aan een chatconversatie.
Hoi Ellen. Hoe bedoel je: waar was ik? Ik stond bij jou aan de deur, maar je was niet thuis.
We hadden twee uur later afgesproken vandaag, omdat ik naar de tandarts moest. Heeft Charlot je dat niet verteld?
Het duurde even voor mijn vingers stopten met trillen en ik een antwoord kon intikken. *Nee dus.*
Ik vond het al vreemd dat je er niet was. Jammer! Maar vrijdag is alles weer normaal.
Ik lachte geluidloos. Alsof alles ooit nog weer normaal zou worden. Zonder goed te weten wat ik deed, begon ik door de kamer te benen. Ik wist heel zeker dat Charlot niet vergeten was me te verwittigen. Ze had het gewoon niet gedaan.
Gedachteloos begon ik mijn rugzak uit te laden. Ik smeet mijn agenda op mijn bureau, rommelde in mijn pennenzak en zag dan een pakje in zilverpapier op de bodem van mijn rugzak blinken.
EHBO
x
Eric
Ik moest wel glimlachen. Grinniken. Grijnzen. De idioot. De lieve idioot. Ik opende het aluminiumpapier

en snoof diep de geur van chocoladecake uit een pakje op. Ik pulkte een aantal kruimels los en stopte ze in mijn mond. Ik was nog altijd razend op Charlot. Maar de woede lag niet meer als een steen op mijn maag. Daar moest nu plaatsgemaakt worden voor chocolade. Ik installeerde me met de cake aan mijn bureau en deed een halfslachtige poging om aan mijn huiswerk te beginnen, toen er op de deur werd geklopt.

'Ik dacht dat je misschien wel zin had in thee.' Mama reikte me een kop thee aan terwijl ze mijn kamer verder binnenkwam. Ze keek naar de chocoladecake die naast mijn wiskundeschrift lag, maar zei er niks van.

'Papa brengt vergif mee voor muizen. Ik hou er niet van, maar het kan ook niet dat al onze leidingen kapot geknaagd worden. Ik hoop dat je dus heel snel geen gekrabbel meer hoort onder je bed.'

Ik vulde een volgende lijn van mijn wiskundeoefening in zodat ik mama niet moest aankijken.

'Is dat niet gevaarlijk, vergif in huis leggen?'

'Jullie zijn toch wel oud genoeg om te weten dat je het niet mag opeten?' Mama blies in haar eigen kop thee. Ik trok een grimas en nam een slok thee. Ik dacht niet aan mezelf of Sebas, eerder aan Elvis. Misschien kon mijn broer toch maar beter open kaart spelen met mama en papa.

'Is er iets?' Mama hield haar hoofd schuin en keek me aan op de manier waarop alleen moeders dat kunnen. Ik was niet van plan geweest het haar te vertellen, maar mijn verontwaardiging was nog te groot. De woorden kwamen uit mijn mond voor ik er erg in had.

'Weet je wat Charlot vandaag gedaan heeft? Ze is me vergeten te verwittigen dat we op een ander moment gingen oefenen bij Ellen. Ze is het "vergeten", kun je

dat geloven? Waar haalt ze het lef!'
'Misschien had ze het lef net niet om je te verwittigen',
merkte mama op.
Ik zweeg en roerde in mijn thee.
'Wel, ik laat je maar voortdoen met je huiswerk.'
Mama's blik bleef even hangen bij de chocoladecake.
Ik plooide het zilverpapier snel dicht en plooide het
even snel weer open. Het laatste dat ik wilde, was dat
mama het briefje las dat erop geplakt zat. Ik liet mijn
hand op de cake liggen. Zodra mama de deur uit was,
zou ik mijn mond vol proppen. Als ik nu nog geen EHBO
kon gebruiken...

'What do I say when it's all over and
sorry seems to be the hardest word?'

Elton John, Sorry seems to be the hardest word

'Ha Nore, waar zat je de vorige keer? Vond je nu dan
toch dat je wel een keer kon overslaan, dat je al genoeg
geoefend had?'
Ik keek niet naar Dorien, die de vraag natuurlijk
gesteld had, maar naar Charlot, die probeerde weg
te duiken achter Joke. Ik bleef kijken tot Charlot
uiteindelijk toch opkeek.
'Nee, ik was niet verwittigd dat de repetitie verplaatst
was.'
Charlot had in elk geval het fatsoen rood te worden.
'Is dat zo? Nochtans...'
'Laten we er maar aan beginnen', onderbrak Ellen luid.
Ze draaide het volume van de muziek zo hoog dat de
rest van Doriens woorden onverstaanbaar werd.
Ik wierp haar een dankbare blik toe.
Het viel me meteen op dat Charlot zich niet langer in
een hoekje probeerde te verstoppen. Sterker nog: ze ging
helemaal vooraan bij de spiegels staan. En al snel was
duidelijk waarom. Charlot had geoefend. En hoe! Ze

danste met een furie die ik nog niet eerder bij haar had gezien, maar het paste bij het nummer. Zoveel was zeker. En ze danste verschrikkelijk goed. Zoveel was ook zeker.

'Wow Charlot! Jij hebt niet meer geslapen de voorbije dagen veronderstel ik? Je danst ons allemaal plat.'

Natuurlijk kon ik het aan Dorien overlaten om tijdens de pauze onder woorden te brengen wat we allemaal dachten. Ik slurpte heftig van mijn cola en probeerde zo te verbergen hoe nieuwsgierig ik was naar Charlots antwoord.

'Ach.' Charlot haalde nonchalant haar schouders op. 'Sommige mensen moeten zich te pletter oefenen, anderen hebben gewoon talent.'

Ik voelde hoe heel wat blikken nu naar mij schoven en bleef strak in mijn cola turen tot mijn neus zo vol koolzuur zat dat ik wel moest opkijken om te hoesten. Voor ik iets kon bedenken om te antwoorden, was Charlot alweer aan het woord.

'Zeg, wie heeft er zin om zo dadelijk nog mee een ijsje te gaan eten?' Charlot keek uitnodigend de groep rond. Er klonk instemmend gemompel van verschillende kanten. Ellen keek me vragend aan, maar ik schudde haastig mijn hoofd.

Bijna als een hond met zijn staart tussen zijn poten vluchtte ik op het einde van de repetitie naar mijn fiets. Toegegeven, heel vaak lustte ik Dorien rauw. Maar de rest van onze dansgroep was een toffe bende waaraan ik gehecht was. Ze hadden een beetje een pleister op de wonde van Charlot gevormd. Dat Charlot hen nu zo moeiteloos inpalmde en daarmee van mij weghaalde, gaf me een heel ongemakkelijk gevoel. Ik had evenveel recht als Charlot om met de groep te oefenen. Maar ik liet me wel telkens weer door haar wegjagen. En mijn

grote lichtpunt van de voorbije weken, dat ik de jury
in elk geval zou platdansen tijdens de auditie, had
Charlot daarnet ook heel vakkundig de kop ingeduwd.
Ze danste nu al beter dan ik!

Misschien was ik te zelfverzekerd geworden. Had ik
te veel vertrouwd op mijn schema's en lijstjes. Ik wist
toch dat schema's en lijstjes voor mij niet werkten!
Waarom zou deze auditie een uitzondering zijn op die
regel? Goed, ik had complimentjes gekregen. Maar
wat wisten mama en Eric echt van dansen af. Niks
toch? En oké, de groep had me bewonderd omdat ik
de achterwaartse buiging zo goed kon. Maar die hield
amper vijf tellen van de hele dans in. Daarmee kon
ik de andere tweeënhalve minuut echt niet redden.
Ik moest op dat podium dansen! Dat was geen zaak
waarover te onderhandelen viel. Stel je voor dat
Charlot wel gekozen zou worden en ik niet. Ik wilde
zelfs niet denken aan de blik die ze dan zou hebben.
Met veel gevoel voor drama liet ik me thuis in de zetel
vallen en ik begon doelloos in het rond te zappen. Ik
zag mensen die hun huis wilden verbouwen, koppels
die hun draak van een relatie op tv wilden bespreken,
Dora the explorer... ze verschenen en verdwenen
allemaal op het scherm.

'Zeg, hoe zit het eigenlijk met jou en Charlot?'
Sebastiaan liet zich naast me in de zetel ploffen.
Ik zette meteen al mijn stekels op om mijn broer van
repliek te dienen. 'We hebben ruzie, dat is toch wel
duidelijk.'

'Ja, dit is al het derde of vierde weekend dat we ingaan
zonder irritant meidengegiechel in huis. Zo meteen ga
ik nog afkickverschijnselen vertonen.'

'Bedoel je dat je ons gegiechel eigenlijk wel nodig blijkt

te hebben, al is het maar om erover te zeuren?'
Sebastiaan haalde onhandig zijn schouders op. 'Ik
bedoel gewoon dat ik het erg voor je vind. Dat is alles.
Ik hoop dat het snel weer goed komt.'
Sprakeloos staarde ik mijn broer aan. Ik greep in
de zak chips die hij aanbood. Deze wending had ik
niet zien aankomen. 'Dat hoop ik ook', mompelde ik
uiteindelijk. 'Maar zo ziet het er niet uit.'
Sebastiaan kwam terug overeind. 'Ik denk dat je zo
dadelijk best een keer naar de keuken komt.'
'Oh?' Ik zapte nog even rond, maar er was toch niks
bijzonders te zien, dus trok ik nieuwsgierig richting
keuken. De kooi met Elvis erin stond midden op de
tafel. Mama en papa zaten elk aan een kant, hun
handen letterlijk in het haar.
'Je huisspook is gevonden.' Mama produceerde iets wat
heel in de verte op een magere glimlach leek.
'En het gaat naar het asiel.' Papa klonk beslist.
'Het kan in elk geval niet op Sebas' kamer blijven, dat
is duidelijk.' Mama wreef met haar twee handen over
haar gezicht.
'Dat beest heeft hier al genoeg leidingen kapotgevreten.
Voor hetzelfde geld was er brand uitgebroken door
kortsluiting.' Papa keek grimmig nu. Ik moest niet naar
Sebas kijken om te weten dat die nu in elkaar kromp.
'Ik vind het best dapper en romantisch, wat Sebas
gedaan heeft.' Mama tikte papa op de vingers. 'Zoiets
had jij vroeger nooit voor mij gedaan.'
'Nee, daarvoor heb ik iets te veel verstand.' Papa snoof.
Ik wierp een blik op mijn broer, die de
woordenwisseling gespannen volgde, en besloot dan
naar mijn kamer te vluchten. Er waren al genoeg
ruzies waarbij ik betrokken was.

'Je ziet er belabberd uit.'

Ik stopte mijn overzicht van Engels terug in mijn tas en keek even naar een aantal klasgenoten die het examen verderop opgewonden stonden te bespreken. Ik had me bewust op een bankje apart gezet. Ik had net gezien dat ik twee woordenschatvragen van het examen fout had beantwoord en dat maakte mijn humeur er niet beter op. 'Dank je wel, Eric. Ik wist wel dat ik altijd bij jou terechtkon voor een compliment.'

'Iemand moet het zeggen. Ik durf te wedden dat je al een week niet meer in de spiegel hebt gekeken, want dan had je het zelf al lang gezien.'

'En dan?'

'Dan had je er natuurlijk iets aan gedaan.'

'Zoals?'

'Een uurtje in de zon gaan zitten, bijvoorbeeld. Dat zorgt niet alleen voor een lekker kleurtje op je wangen, schat. Het is wetenschappelijk bewezen dat zonlicht ook goed is voor je humeur. En jouw humeur kan wel een boost gebruiken, geloof me.'

Ik stak mijn tong uit. 'Ik heb geen tijd voor een goed humeur', mompelde ik uiteindelijk. 'Zondag is de auditie en ik moet die halen. Als Charlot wel op dat podium mag dansen en ik niet, dan gebeuren er ongelukken. Dat kan ik je wel vertellen. Dus ik oefen elk vrij moment dat ik heb. En het is jou misschien ontgaan, maar het zijn ook examens.'

'Nu je het zegt.' Met een meewarige blik keek Eric om zich heen.

'Niet iedereen heeft jouw superbrein', mopperde ik.

'Maar morgen hebben we godsdienst. Daar hoef je niet voor te studeren. Je gelooft of je gelooft niet', maakte Eric zich er met een schouderophalen vanaf. 'Dus vandaag kunnen we gaan bungeejumpen of kitesurfen of gewoon lekker in de zon gaan liggen in het park.'

Tegen beter weten in schudde ik mijn hoofd. 'Word jij soms niet moe van jezelf?'

'Dat gebeurt. Maar ik denk vooral dat ik mijn tijd goed besteed en daardoor niet snel moe word.'

'En ik niet dan?' Ik wapperde met mijn schema voor Erics neus. 'Durf jij te beweren dat ik mijn tijd niet goed indeel?'

'Jij gaat nu vast thuis al alle stof in je hoofd rammen. Als je pas vanavond met studeren begint, hoef je het minder lang te onthouden.'

De redenering was zo dom en zo Eric dat ik niet anders kon dan lachen.

'Eindelijk.' Eric keek tevreden. 'Ik dacht echt even dat het me niet zou lukken je aan het lachen te krijgen.'

'Je doet alsof ik nooit meer lach.' Ik klonk gekwetst nu en dat was ik ook.

'Ik zie je gewoon graag lachen.' Ik keek in Erics ogen

die de strakke blauwe hemel boven ons weerspiegelden. Het was zomer, een mens zou het nog bijna vergeten.

'Je hebt net examen Engels gedaan. Gun jezelf een uurtje om te ontspannen. Je hebt het verdiend hoor.' Eric schoof wat dichter naar me toe, legde zijn arm om mijn schouder en trok me tegen zich aan. Als vanzelf viel mijn hoofd tegen zijn schouder. Ik liet het liggen. Te moe om het te verplaatsen, maakte ik mezelf wijs. Ik ademde diep door mijn neus. Eric rook naar gemaaid gras, Nivea for men en muntkauwgum. Het was een aangename mengeling die een stuk beter rook dan die van kopieerinkt en duf hout, waar ik net een uur lang met mijn neus boven had gehangen tijdens het examen Engels.

'Een uurtje', echode ik.

'Zestig minuten. Daarin kan ik wonderen verrichten, je zult wel zien. Ga je mee?' Eric aaide met zijn duim over de achterkant van mijn nek terwijl hij het vroeg. Ik voelde de cirkeltjes die hij maakte tot in mijn tenen. Ik zei ja. Daar hoefde ik niet eens over na te denken. Ik had altijd geweten dat ik zonder meer ja zou zeggen wanneer Eric de clown plaatsmaakte voor Eric de kameraad.

'Waar gaan we naartoe?' Ik had niet geprotesteerd toen Eric me op zijn bagagedrager had neergepoot, had met plezier mijn armen rond zijn middel geslagen terwijl hij het schoolplein afreed. Ik had blikken voelen prikken in mijn rug, maar had niet eens de moeite gedaan om te kijken van wie ze waren. Na amper vijf minuten fietsen zaten we al op een landweg waar ik nog nooit geweest was. Ontsteld kwam ik tot de conclusie dat ik mijn eigen buurt duidelijk niet echt goed kende.

'Dat zul je zo wel zien!'

Even later stopte Eric bij een smal paadje dat omhoog cirkelde langs een gigantische oude eik. 'Kom!'

Ik pakte zijn hand beet en liet me omhoog trekken. Ik keek even naar de fiets die Eric zonder meer in de berm achterliet en besloot dat ik me daar niks van ging aantrekken. We waadden door netels en hoog gras en ik botste bijna tegen Eric toen hij abrupt stopte en zich bukte om de bramen te plukken die dik en glanzend in de berm groeiden. We plukten zwijgend tot we een zakdoek vol hadden. Daarna trok Eric me mee verder het groen in. Ik begon te sputteren dat de helft van de zestig minuten intussen al om was, maar Eric stopte alleen om een braam in mijn mond te duwen en me dan weer verder te trekken.

Even later kneep hij in mijn hand en ik wist dat we waren beland waar hij me mee naartoe wilde nemen. Al wist ik dat zonder het kneepje ook wel. We stonden op een dik, groen grasveld omlijst door struiken aan de ene kant en een wei vol koeien aan de andere kant. Aan onze voeten was er een smalle beek en het water dat erin glinsterde was bijzonder verleidelijk met deze temperaturen. Zonder na te denken schopte ik mijn slippers uit en sprong in het water. Ik waadde tot bij de koeien en terug, en voelde mijn tenen tintelen van de plotse kou. Ik hees mezelf uit het water en ging naast Eric zitten, die zichzelf ondertussen had geïnstalleerd in de schaduw van de enige boom die het weilandje rijk was. Hij reikte me een blikje lauwe cola aan. Zwijgend begonnen we van de bramen te eten. Ik wilde net een bijzonder groot exemplaar in mijn mond steken toen Eric mijn hand tegenhield. Hij wreef met zijn duim langs mijn kin.

'Wacht, je morst.' Hij wilde nog meer zeggen, maar werd onderbroken door een koe die luid loeiend over het hek kwam hangen. Ze vond duidelijk dat ze ook recht had op een deel bramen. Ik begon te giechelen. Het was zo bizar om hier midden in de examens in een weiland te zitten samen met Eric, met een koeienkop vlak naast mijn hoofd. Nu ik een keer begonnen was met lachen, kon ik niet meer stoppen. Ik schokte en schudde, gierde tot mijn buik er pijn van deed.

Toen ik eindelijk uitgelachen was, lag Erics hand nog altijd tegen mijn wang. Ik voelde hoe zijn hand aan me trok. Hoe ik zelf dichterbij kwam. Dit keer hoefde ik niet te twijfelen. Wat volgde was warm en loom en zoet en eindeloos. Dit was een zoen. Een echte, met alles erop en eraan. En het was een hele goede ook.

♪ 'When you're with me,
baby the skies'll be blue for all my life.'

The Turtles, Happy together ♫

'Wat is er hier allemaal aan de hand?' Verstoord keek ik naar Sebas, die druk aan het timmeren was op het terras. En dat in deze hitte!

'Elvis mag blijven!' Sebas keek triomfantelijk.

'Wat goed!' Nu pas zag ik de kooi van Elvis die weggestopt stond achter een struik, zodat Elvis wel schaduw had. Ik stak mijn vinger tussen de tralies en Elvis kwam meteen nieuwsgierig snuffelen.

'Hoe heb je hen zo ver gekregen?'

Sebas grijnsde. 'Ik denk dat mama zo ongeveer alles doet in de hoop een glimp te kunnen opvangen van Merle. Want natuurlijk moet die hem komen bezoeken als hij hier echt blijft wonen.'

Ik grinnikte. 'Goed gedaan, broertje!'

'En, hoe was je examen?' De voordeur was amper achter mama dichtgevallen of ze stond al bij de hangmat achteraan in de tuin, waar ik een magere poging aan het doen was het hindoeïsme wat beter te leren kennen.

'Ging wel', mompelde ik.

'Nog even doorzetten, dan ben je ervan af.'

Ik knikte. Ik durfde mama niet aan te kijken. Zou ze kunnen zien dat Eric me gekust had? Dat er van alles in mijn lijf begon te kronkelen en te fladderen zodra ik aan hem dacht? Als ze dat al niet kon zien, kon de brede grijns van oor tot oor die ik maar niet van mijn gezicht af kreeg haar in elk geval niet ontgaan.

Mama was alweer bijna de keuken binnen, toen ze zich omdraaide. 'Is hij de moeite waard?'

'Wie?' Verward keek ik haar aan. Dacht mama soms dat ik me voor mijn plezier aan het verdiepen was in Brahma, een van de goden van het hindoeïsme?

Mama schudde haar hoofd. 'Laat ook maar. Natuurlijk is hij de moeite waard.' Ze knipoogde.

Het begon me te dagen. Ik voelde mijn hoofd gloeien en probeerde mezelf te sussen met een grote slok water. Eigenlijk wilde ik niks liever dan honderduit vertellen over het zalige uur ontspanning dat ik vandaag had gehad. Ik zou vertellen hoe lief Eric eruitzag als hij écht lachte. Hoe hij dan kuiltjes in zijn wangen kreeg waarin zijn sproeten leken te verdwijnen. Ik zou het hebben over de rit op de fiets terug naar huis. Hoe ik mijn neus onder de vleugel van Erics rechterschouder had geduwd en het liefst van al was blijven doorrijden, ook al duwde de bagagedrager ongenadig in mijn achterwerk.

Het zat allemaal in mijn binnenste te borrelen en te bubbelen en het moest eruit. Maar natuurlijk ging ik het niet aan mama vertellen. Hoe hard het ook mocht borrelen en bubbelen. Dit waren niet het soort dingen dat je aan de neus van je moeder ging hangen. Ik reikte aarzelend naar de iPad in het gras onder de

hangmat. Misschien was Ellen online. Of Sofie. Zeker
Sofie moest toch wel wat vermoeden. Heel de klas had
me tenslotte met Eric van het schoolplein zien rijden.
Het geroddel zou niet van de lucht zijn.

Peinzend liet ik de nagel van mijn wijsvinger over de
contouren van de afbeelding van Brahma in mijn
schrift glijden. Mijn gsm piepte met een binnenkomend
bericht.

*Wat denk je? Heb je morgen opnieuw een uurtje
ontspanning verdiend? Brahma vindt het vast wel goed ;-)*
Ik begon meteen te antwoorden. *Ik heb geen idee wat
Brahma ervan vindt, maar ik ben voor!* Ik aarzelde even
voor ik er '*x*' aan toevoegde. Voor ik me kon bedenken,
drukte ik op verzenden.

'Sebastiaan, ik ben tv aan het kijken.' Ik trok de afstandsbediening uit de handen van mijn broer. Ik lag languit in de zetel, was met een oog een roddelblad aan het lezen en met het andere oog vaagweg aan het volgen hoe meisjes werden omgetoverd tot dames. Daardoor lukte het me om maar om de vijf seconden aan de auditie van morgen te denken. Aan hoe ik zou uitglijden voor de ogen van de jury. Hoe mijn been de verkeerde kant op zou zwaaien. Hoe ik uit de maat zou beginnen. Me ineens geen enkele beweging van de dans meer zou kunnen herinneren. Ik zag het dus niet zitten dat Sebastiaan mijn heilige evenwicht kwam verstoren. Al helemaal niet met voetbal of een vechtfilm.

'We gaan toch geen hele avond naar vrouwenprogramma's kijken? Er wonen ook twee mannen in dit huis hoor.'

'Sebastiaan, laat haar...' kwam mama sussend tussenbeide vanuit de keuken.

'Oh, moet ik haar sparen omdat het morgen DE AUDITIE is? Heeft mijn zusje zenuwen?'

'Het is niet omdat jij geen ambitie hebt dat iemand anders dat niet kan hebben, Sebastiaan!' Kwaad keilde ik de afstandsbediening naar mijn broer en rende naar mijn kamer. Tegen beter weten in oefende ik daar voor de spiegel nog maar eens de dans. Ik kon elke beweging ondertussen dromen. Hoorde de muziek nog in mijn slaap. Ik kende 'Night fever' van voren naar achteren en terug. Als ik heel eerlijk was, kon ik het nummer niet meer horen. Ik werd misselijk zodra de eerste tonen klonken.

Rusteloos tikte ik met mijn vinger langs de boeken die slordig in mijn rek gestompt waren. Mijn woordenboek Nederlands – uiteraard een van de dikste boeken in het rek, hoe kon het anders – maakte zich los uit het rijtje en belandde met een stevige klap op mijn teen. Vloekend huppelde ik een paar seconden door de kamer. Misschien moest ik maar eens in bad gaan. Water kalmeerde toch, werd er gezegd?

Ik liet het water lopen tot de badkamer wolkte van de stoom en ik mezelf amper nog kon zien in de spiegel. Ik had zoveel van mama's citruscrèmebad gebruikt dat het schuim nog net niet over de rand van de badkuip puilde toen ik mijn been in het bad stak. Met een diepe zucht liet ik mezelf in de kuip neerzakken en ik keek toe hoe mijn vel verrimpelde en rood werd alsof ik een gekookte kreeft was. Ik schurkte mijn hoofd tegen de achterwand van de badkuip. En nu dus ontspannen. Ik probeerde me te concentreren op de gebruiksaanwijzing van Sebastiaans shampoo die naast mijn hoofd stond. Zorgvuldig inmasseren en overvloedig uitspoelen met warm water, las ik. Wat zou je anders met shampoo doen? Zelfs Sebastiaan wist toch wel hoe je je haren moest wassen.

Misschien vindt hij het niet nodig om de shampoo uit te spoelen, te veel werk. Of denkt hij dat het net met ijskoud water moet. Zou toch best kunnen. Ik kon het Charlot zo horen zeggen, met een stalen gezicht. Ik ging kopje onder en voelde hoe het vel op mijn wangen samentrok en begon te prikken van het veel te hete water.

Ik miste mijn beste vriendin verschrikkelijk. Oh, ik was nog altijd razend op Charlot. Maar dat veranderde niks aan het feit dat ik me afvroeg hoe ik alle volgende dagen en weken zonder haar moest doorkomen. Hoe kon ik aan de zomer beginnen zonder Charlot? Ik had zenuwen voor de auditie morgen. Natuurlijk. Ik wilde een prachtprestatie neerzetten. Ik wilde dat podium! En ik wilde beslist niet onderdoen voor Charlot.

Maar ik had nog veel meer zenuwen voor wat er na de auditie zou gebeuren. Of niet gebeuren. Als de strijd was gestreden. Wat gingen Charlot en ik dan doen? Zou ik het dan eindelijk kunnen? Zeggen dat het een domme ruzie was. Dat ik Charlot verschrikkelijk miste. Zou ik dat ook kunnen zeggen als Charlot wel werd gekozen en ik niet? Zou Charlot luisteren als ik werd gekozen en zij niet? Misschien was alles opgelost als we allebei werden gekozen…

Ik draaide de kraan open en maakte mijn haar nat. Zorgvuldig inmasseren en overvloedig uitspoelen met warm water. Dat kon ik. Druipnat stond ik even later op de badmat te zoeken naar mijn handdoek. Ik trok mijn favoriete slaapshirt aan en rommelde net al mijn spullen bij elkaar toen ik mijn gsm in mijn broekzak hoorde trillen met een binnenkomend bericht.

Last van zaterdagnachtkoorts? You're a star, baby! Just

do it! x-je Eric. Ik glimlachte. Ik dumpte mijn spullen in mijn kamer en liep snel terug naar beneden. Van slapen zou er voorlopig nog niet veel in huis komen. Maar dat gaf niet. Ik wist nu wat ik moest doen. IJverig begon ik in de keukenkastjes te rommelen op zoek naar bloem en suiker.

'Heb je besloten dat een carrière als huisvrouw nog altijd tot de mogelijkheden behoort als het niet lukt als danseres?'

'Ik ga chocoladecake maken, Sebastiaan. Als je je gedraagt, besluit ik misschien wel dat jij ook een stuk krijgt.' Ik begon bloem en boter af te wegen op de keukenweegschaal.

Sebastiaan rommelde in de lade onder het messenblok en reikte me een gigantisch pak zwarte chocolade aan. 'Je bent mijn zusje, tuurlijk ga je het halen.' Sebastiaan klonk plots zo ernstig dat ik automatisch opkeek van de weegschaal.

'Mag ik straks de klopper aflikken?'

Ik schudde grijnzend mijn hoofd. Dit klonk meer zoals Sebastiaan. 'De klopper is voor de kok, Sebastiaan. Ga nu maar voetbal kijken!'

Het was voorbij middernacht voor ik in bed kroop met de geur van chocoladecake in mijn haren. Samen met Sebastiaan had ik de helft van de cake al naar binnen gewerkt en de chocolade lag nu als een blok op mijn maag. Ik friemelde aan mijn hoofdkussen en luisterde naar de sprinkhanen die zaten te tsjirpen onder mijn raam. Dit zou een lange nacht worden.

De volgende morgen had ik de voordeur al bijna achter me dichtgetrokken toen ik me terug naar boven haastte. Ik trok de la onder mijn kast open en rommelde tussen mijn sokken tot ik ze had gevonden: de roze sokken met in gouden letters *number one* erop. Ik had ze ooit samen met Charlot gekocht in een winkeltje aan zee. Elk een paar. We hadden ze tot nu toe elke keer gedragen op belangrijke dansmomenten. Dit was een belangrijk dansmoment en ik kon elk beetje geluk dat ik kon afdwingen gebruiken. Ik propte de sokken in mijn tas en rende opnieuw de trap af. Ik was nog geen honderd meter de straat ingereden of ik keek al om. Ik had het nadrukkelijke gevoel dat ik bekeken werd. Meer nog. Ik werd gevolgd. Nijdig keek ik naar Eric, die dichterbij kwam.

'Ik had je gezegd dat ik dit alleen moest doen! Ik ben hier te zenuwachtig voor.'

Eric antwoordde kort: 'Rugdekking.'

'Rugdekking', herhaalde ik ongelovig voor ik hoofdschuddend weer op mijn fiets kroop. In een sneltreinvaart begon ik door het verkeer te koersen. Eric bleef netjes een paar meter achter me rijden. Het eerste deel van de rit was ik kwaad. Dit was typisch iets voor Eric, gewoon zijn eigen zin doen in plaats van rekening te houden met wat ik had gezegd. Maar naarmate we dichter bij de dance loft kwamen, was ik eigenlijk wel blij dat Eric in de buurt was. Dat hij zorgde voor het duwtje in de rug dat ik zo dadelijk nodig ging hebben om in mijn eentje die drempel over te stappen en niet rechtsomkeert naar huis te maken om me veilig in mijn bed te verstoppen.

We stapten af bij de dance loft. Eric keek zwijgend toe hoe ik klungelde met mijn fietsslot. Toen hij het niet meer kon aanzien, nam hij het over. Met een stevige klik klapte het slot in elkaar. Eric gaf me de sleutel en knipoogde. 'Niet te veel aan mij denken. Denk aan je

buikspieren, dan komt het allemaal goed.'
Ik schudde mijn hoofd. Haalde diep adem. Spande
mijn buikspieren en wandelde de klapdeuren naar de
loft door.
Ik was de gang naar de kleedkamers nog niet in
gelopen of ik kon het zenuwachtige getater al horen.
Het gierde door de lucht.
'Wat als ik een deel van de dans vergeet? Stel je voor
dat ze daar hoofdschuddend naar je geklungel zitten te
kijken!'
Ik dumpte mijn tas in het rustigste hoekje dat ik
kon vinden en wisselde snel mijn kleren terwijl ik de
kleedkamer afspeurde op zoek naar Charlot. Waar was
ze eigenlijk? Ik zag haar spullen ook nergens staan. Ik
ging naast Paulien bij de spiegel staan en begon op te
warmen.
'Ben je er klaar voor?' Paulien gilde de vraag in
mijn oor en ik deed spontaan een paar passen naar
achteren. De adrenaline spoot nog net niet langs haar
ogen naar buiten.
Ik haalde mijn schouders op, voelde hoe de
chocoladecake van gisterenavond zich roerde in mijn
maag. 'Ik hoop het', mompelde ik.
'Wie denk jij dat er wordt gekozen?'
'De beste zes, veronderstel ik.' Ik boog me voorover om
mijn kuiten te rekken en tegelijkertijd ook een einde te
maken aan de conversatie. Maar dat had ik beter niet
gedaan. Ik voelde hoe de chocolade terug in mijn keel
schoot.
'En wie zijn dat volgens jou, de beste zes?'
Ik duwde Paulien opzij en rende naar de wc's. Ik
merkte vaag hoe ik nog iemand opzijduwde voor ik de
wc's binnenstormde en het eerste hokje openduwde.

De chocolade smaakte niet langer zoet. Hij beet als gal in mijn keel terwijl hij er weer uitkwam. Uitgeput liet ik mezelf tegen de zijwand van het wc-hokje zakken. Mijn shirt plakte klam tegen mijn rug. Ik had een vieze smaak in mijn keel en mijn neus. Mijn haar hing in losse slierten in mijn gezicht. Ik onderdrukte een kreun. Ik zou overeind moeten krabbelen. Mijn mond spoelen, mijn gezicht wassen, mijn haar fatsoeneren. Over amper vijf minuten moest ik de sterren van de hemel dansen. Ik schurkte mezelf nog wat dichter tegen de wand van de wc. Eigenlijk was het best comfortabel hier. Rustig. Koel. Met op de achtergrond alleen het geruis van een toilet dat bleef doorlopen. 'Hier.'

Ik greep automatisch naar het flesje Aquarius dat in mijn handen werd geduwd. De felle namaaksinaas maakte dat de vieze smaak in mijn mond verdween. Ik staarde een poosje naar de roze met gouden sokken voor mijn neus voor ik Charlots uitgestoken hand aannam en mezelf overeind liet trekken.

'Het is maar een auditie, weet je.'

Ik keek een hele poos naar het beeld van Charlot en mezelf in de spiegel voor ik antwoordde. Kon het werkelijk dat Charlot met een simpel zinnetje alles wat er de voorbije weken was gebeurd weer goedmaakte? Ik kneep in de hand die ik nog altijd vasthield. 'Ik weet het.'

Haastig gooide ik water in mijn gezicht en trok mijn haren bij elkaar met het elastiekje dat Charlot aanreikte. Onze sprint door de gangen naar de dance loft moest voldoende zijn als opwarming. We waren nog net op tijd om Jesse met de jury te zien binnenkomen.

'Goedemorgen meiden en welkom op de auditie. Zoals jullie weten zijn jullie hier om een plaatsje te veroveren op het podium van dancing Arno's. Dit is de jury die jullie zal beoordelen.' Alle ogen gleden nu naar de jongen die aan het midden van de tafel zat. Hij glimlachte vrolijk terug en stak zijn hand op. 'Dit is Nico Brouwers, de organisator van de party', stelde Jesse hem voor. Ik kon begrijpen waarom Ellen meteen weg was geweest van Nico. Zeggen dat hij knap was, was een understatement. Overal in de loft werd dezelfde conclusie getrokken: Nico was een reden te meer om deze auditie te halen.

'Nico heeft Valentina meegebracht. Ze heeft bij het Koninklijk Ballet gedanst en geeft nu dansles.' Ik bestudeerde een vrouw van een jaar of vijftig met vlasblond haar dat in een strakke knot achter op haar hoofd was getrokken. Ze had smalle lippen en ogen die je leken te doorboren. Ik wist niks van Valentina, maar toch was ik er zeker van dat haar kritiek ongezouten zou zijn.

'Kathleen en mij kennen jullie natuurlijk', besloot Jesse het rijtje.

Ik hoorde hier en daar gekuch. Dit was geen jury waarvoor je wilde afgaan, zoveel was wel duidelijk!

'De zes besten mogen dansen op de summer party eind van de maand', onderbrak Jesse het geroezemoes dat ontstond. 'Jullie gaan dan niet alleen het nummer dansen dat jullie voor vandaag geoefend hebben. Het is de bedoeling dat jullie daarnaast ook per twee regelmatig op het podium verschijnen om de sfeer erin te houden en dan gaan jullie gewoon vrij dansen. Daarom vragen we jullie om nu tijdens de auditie ook per twee te dansen. Want we zijn dus niet alleen op zoek naar de beste dansers. We willen ook koppels die knallen. Welk duo wil er als eerste komen?'

Ik voelde de geruststellende warmte van Charlots schouder achter me. Ik moest niet omkijken naar mijn beste vriendin. Gelijktijdig staken we onze handen omhoog.

'Prima, Charlot en Nore, dan zijn jullie als eerste aan de beurt. De anderen wachten in de kleedkamer. Het volgende koppel wacht buiten aan de deur.'

Jesse liep naar de muziekinstallatie. 'Zijn jullie er klaar voor?'

Zenuwachtig keek ik naar Charlot. Waar waren we aan begonnen?

'We zijn er klaar voor.' Charlots stem klonk helder en zeker door het lokaal. Voor ik kon tegensputteren, startten de eerste tellen van 'Night fever' al.

Voor een keer wist mijn lichaam godzijdank zelf wat
het moest doen. De eerste tellen van het nummer
danste ik automatisch. Even later kreeg ik genoeg
zelfvertrouwen om Charlot aan te kijken. Ze glimlachte
en stak uitnodigend haar been in mijn richting. Even
was ik in de war. Charlot hoorde de andere kant op te
trappen. Maar dan begreep ik het. Ik grijnsde.

Het was een gok van Charlot en dat wist ik. Door
elkaars bewegingen te gaan spiegelen gingen we
samen dansen in plaats van elk apart. En dat was wat
de jury wilde. Maar het betekende ook dat we volledig
synchroon moesten zijn. We konden het ons niet
permitteren ook maar een halve seconde vroeger of
later met een beweging te beginnen, want dan was ons
spiegelbeeld naar de vaantjes. Terwijl dit de eerste keer
was dat we de dans echt samen dansten. De allereerste
keer dat Charlot hem in spiegelbeeld zou dansen. Ik
duwde de gedachten opzij. Piekeren kon later nog. Nu
moesten we dansen.

Halverwege verscheen er een grijns op mijn gezicht die ik er niet meer af kreeg. Dit was fun! Ik was het bijna vergeten, hoe fijn het kon zijn om samen met Charlot te dansen. Om bijna intuïtief te weten wat de ander ging doen en daarop te reageren voor je er zelfs maar over kon nadenken. *Night fever, night fever, we know how to do it!* Terwijl ik aan de pirouette begon, keek ik in een flits naar de jury. Zat Nico werkelijk mee te bewegen met de muziek? Hoe geweldig was het als we hem nu al aan het dansen kregen!

Uitgeteld viel ik Charlot op het einde van het nummer in de armen. Ze omhelsde me stevig terug. Ik rook een vreemde geur in haar haren. Zag ineens een leren gevlochten armbandje aan haar pols dat ik nog niet eerder had gezien. We hadden elkaar heel wat te vertellen. Maar eerst moesten we luisteren. Verwachtingsvol draaiden we ons naar de jury, de armen nog altijd stevig om elkaars schouders.

Valentina nam als eerst het woord. 'Jullie begin was aarzelend. Jullie techniek liet hier en daar ook nog wat te wensen over.' Ik voelde Charlots vingers in mijn schouder knijpen. 'Maar dat maken jullie ruimschoots goed met jullie performance. Jullie hebben niet gewoon gedanst. Jullie hebben het nummer samen gebracht, zoals we vroegen. Als jullie het aarzelende begin kunnen overslaan en meteen pieken zoals we op het einde van het nummer zagen, dan zijn we waar we moeten zijn.'

Charlot en ik knikten glimmend om het hardst. Onze aandacht verschoof naar Nico, die al kuchte. 'Ik ga er niet veel woorden aan vuilmaken. Jullie hebben vast zelf gezien hoe ik zat mee te bewegen. Jullie hebben me doen dansen en dat is precies waar ik naar op zoek ben. Ik mag dit eigenlijk nog niet zeggen, want jullie zijn het eerste duo dat we zien. Maar ik zeg het toch: *welcome to my party!'*

'Dank je wel!' hoorde ik mezelf piepen met iets wat ik in de verste verte niet als mijn eigen stem herkende.

'Hebben jullie daar nog iets aan toe te voegen, Jesse en Kathleen?' Nico draaide zich samen met ons naar onze dansleraar.

Jesse trok even nadenkend aan zijn neus en keek vervolgens onverwacht streng. 'Jullie hebben iets bijzonders, meiden. Verspil het niet.'

Ik keek kort naar Charlot. Hoe hadden we ook kunnen denken dat Jesse niet doorhad wat er tussen ons allemaal speelde. 'Dat doen we niet', verzekerden we Jesse om het hardst. Op wolkjes zweefden we de dance loft uit om plaats te maken voor Ellen en Mieke. Het zenuwachtige getater kletste ons rond de oren van zodra we de kleedkamer binnenstapten, maar ik hoorde het eigenlijk niet eens. En als ik het al hoorde, stoorde het me niet. Ik kon alleen nog maar met een brede grijns om me heen kijken.

'*Back to reality:* examens!' pufte Charlot twee uur later terwijl ze in haar rugzak rommelde op zoek naar haar fietssleutels. 'Maar we hebben toch maar mooi onze plaats veroverd! Jammer voor Paulien, haar had ik het echt wel gegund. En ze heeft er zo hard voor gewerkt! Maar ik denk dat Ellen en Mieke en Joke en Tara wel verdiend gewonnen hebben samen met ons.'

Ik knikte vaag en staarde naar mijn eigen fiets.

'Moet jij nog veel leren voor geschiedenis?' taterde Charlot ondertussen voort. 'Ik heb het laatste hoofdstuk nog niet eens bekeken. Kun je het je voorstellen?'

'Charlot, ik zie je morgen', onderbrak ik mijn vriendin.
Vastberaden liep ik de laatste meters naar mijn fiets.
'Eric! Heb je hier de hele tijd op mij staan wachten?'
'Proficiat!' Eric grijnsde. Die lieve, brede grijns die
maakte dat zijn sproeten over zijn neus tuimelden en
er van alles in mijn lijf zacht en zomers werd. 'Dat heb
je goed gedaan.'
Ik lachte breed. 'Ja hé!' Heel even dacht ik nog aan
Charlot die ons waarschijnlijk van bij haar fiets stond
te bekijken. Het volgende moment lagen mijn armen al
rond Erics nek.
'Lucht!' Met veel drama greep hij naar zijn keel toen ik
hem eindelijk losliet.
Ik stompte hem lachend tussen zijn ribben. 'Stel je niet
zo aan!'
'Ga je mee?' Zo blauw had ik Erics ogen nog nooit
gezien.
Ik beet op mijn lip. 'Ik moet...'
'Studeren. Dat weet ik', maakte Eric mijn zin af. Hij
zwaaide met zijn cursus geschiedenis onder mijn neus.
'Daarom ben ik van plan je geschiedenis te overhoren.
Op een bankje in het park.' Eric hield zijn hoofd
vragend schuin.
Ik klikte mijn fietsslot open. Er zou wat zwaaien als ik
zo laat thuiskwam, maar op dit moment kon dat me
niks schelen. *Let's go!*

Toen ik laat in de namiddag thuiskwam met
roodverbrande kaken en gras tussen mijn haren, stond
mama me met de handen in haar zij op te wachten.
'Ik ben in het park gaan studeren. Echt!'
'Heet dat tegenwoordig zo?' Mama snoof.
'Overhoor mijn geschiedenis maar! Ik ken het!' Ik

klonk zelfverzekerd, maar dat was ik ook. Eric was
genadeloos geweest. Pas toen ik al zijn vragen juist kon
beantwoorden, had hij eindelijk zijn cursus gesloten.
Blijkbaar klonk ik zelfverzekerd genoeg om ook mama
te overtuigen. Want in plaats van een uitbrander,
kreeg ik een knuffel. 'Je bent gekozen! Ik wil een foto
met een handtekening, niet vergeten hoor!'
'Goed he!' Ik staarde verlangend naar de fruitsla die op
tafel stond. Veel had ik vandaag nog niet gegeten en
dat begon mijn maag me nu ook duidelijk te maken.
'Je hebt post.'
Ik keek naar de dikke envelop die mama naast mijn
kom fruitsla neerlegde. Ik hoefde hem niet te openen
om te weten van wie hij was. Dat handschrift kende ik
uit duizenden. Na zoveel weken stilte had Charlot me
nu duidelijk het een en ander te zeggen. Ik lepelde snel
mijn fruitsla naar binnen en vluchtte dan met de brief
naar de hangmat. Ik haalde nog een keer diep adem
voor ik de envelop open ritste.

Lieve Nore,
Sorry dat ik me de voorbije weken zo heb aangesteld. Ik was
jaloers en heb me ook zo gedragen. Ik heb jou gestraft voor
iets waar jij eigenlijk helemaal geen fout aan hebt. Zelfs
terwijl ik het deed, wist ik dat, maar ik deed het toch. Erg
hé? Ik heb er geen excuses voor. Het was gewoon heel erg
dom van mij.
Ik weet dat ik niet kan verwachten dat alles nu gewoon
terug wordt zoals het vroeger altijd was. Maar ik hoop
dat ik nog een kans van je krijg om het goed te maken. Ik
mis je. Het wordt saai om tegen de kat te praten in plaats
van tegen jou ☺ En er is zoveel waar ik het met je over wil
hebben. Over deze domme ruzie, natuurlijk. Maar ook over

*Eric. Ik heb je nog nooit zo zien zweven als vanmiddag. Je
hebt het goed te pakken, meid!*

…

Ik las de brief twee keer. Zat een tijdje voor me uit te
staren in de hangmat en las hem dan nog een keer
helemaal. Vijf kantjes had Charlot volgepend. Met
excuses. Met lijstjes van alles wat er de voorbije weken
in haar leven was gebeurd. (Ze was gaan paintballen
en ik wist daar niks van!) Met vragen die ze me wilde
stellen. Natuurlijk wilde ze van naaldje tot draadje
weten hoe het nu precies zat met Eric.
Ik wandelde tot bij Elvis, die tevreden in zijn
gloednieuwe ren aan een blaadje suikerij zat te
knabbelen. Zijn neusje wiebelde ijverig op en neer
en hij deed een poging zijn hangoren te spitsen toen
hij me dichterbij zag komen. Uiteraard had hij geen
bezwaar tegen een stevige knuffel. 'Konijnen hebben
het maar makkelijk, Elvis. Geen gekonkelfoes, geen
jaloezie, geen wedstrijden…' Elvis knabbelde aan
mijn vingers op zoek naar iets lekkers en toen hij had
begrepen dat er bij mij niks te snoepen viel, ging hij
maar wat graag terug naar zijn ren.
Ik liep naar mijn kamer. Voor de zekerheid wilde ik
mijn geschiedenis toch nog een keer herhalen. Ik kon
de verleiding niet weerstaan eerst mijn mail nog snel
even te checken. Alleen spam. En een mailtje van
Charlot, dat net gestuurd was. 'Rechtzetting' heette
het. Toen ik het openklikte, zag ik dat Charlot het naar
heel onze dansgroep had gestuurd.

Hoi allemaal,
Zoals jullie wel weten, hebben Nore en ik stevig ruzie gehad.
Ik hoop dat het allemaal weer goed komt, maar ik wil jullie
bij deze laten weten dat de ruzie eigenlijk mijn fout is en
helemaal niet die van Nore. In al mijn kwaadheid wilde ik
de zaken weleens anders voorstellen en dat spijt me…
Dans ze en tot binnenkort!
Charlot

Hoofdschuddend las ik het mailtje. Het was helemaal
niks voor Charlot om dingen zo in de groep te gooien.
Ze moest echt wel ten einde raad zijn. Ik keek naar de
adressen. Charlot had het mailtje zelfs naar Dorien
gestuurd. Ik pakte mijn gsm en mijn vingers tikten
vanzelf. *Morgen samen Frans studeren? Grtjs Nore* Ik had
het berichtje verzonden voor ik er erg in had. Tevreden
sloeg ik eindelijk mijn cursus geschiedenis open.

'Inhale the music and the warmth.
The crowd is ready to bring me
to the top of the world.'

Hooverphonic, The world is mine

'Hoi Nore! Zin in tiramisu, om jezelf energie in te eten
voor straks?' Vragend zwaaide tante Isabel met een
schotel tiramisu onder mijn neus.
'Dat ligt veel te zwaar op de maag, mam, dan kan
ze niet goed meer dansen!' Beslist duwde Charlot de
schotel weg.
'Dan zal ik hem maar bewaren voor wanneer jullie
terug zijn. Om te vieren.'
'Doe dat!' Charlot rolde met haar ogen en gooide drie
lipsticks op tafel. 'Welke kleur nemen we? Roze, rood of
pink?'
Ik probeerde de lipsticks uit op mijn hand terwijl tante
Isabel een groot glas cola onder mijn neus schoof. Ik
had geen dorst, maar dat zei ik maar niet. Iedereen
probeerde zo druk te doen alsof er niks aan de hand
was en alles gewoon weer bij het oude was. Ik ook.
Want een betere manier om met de situatie om te gaan
en terug te komen bij hoe het was geweest, had ik ook
nog niet kunnen bedenken.

'Het is een dancing en we gaan op het podium staan.
Ik vind dat we voor de felroze moeten durven te gaan.'
'Pink it will be. Kom, het is tijd om te vertrekken.'
Charlot griste de lipsticks van tafel en ik volgde in
haar voetspoor.
'Succes! We komen kijken hoor!' hoorde ik tante Isabel
nog naschreeuwen.

Blij dat ik de weg al wist, leidde ik Charlot even later
naar de kleedkamer van Arno's. Ellen, Joke en Tara
stonden er al te drummen voor de spiegels.
'We mogen gezien worden', vond Ellen even later.
Ik staarde naar ons spiegelbeeld. We waren samen
gaan shoppen en droegen hetzelfde korte zwarte jurkje,
maar de felgekleurde accessoires waren bij iedereen
anders. Ellen had felroze schoenen en juwelen, Charlot
was in knalgeel en ik droeg limoengroen.
Jesse en Nico verschenen in de deur van de
kleedkamer. 'Zijn jullie er klaar voor, meiden?' Jesse
knikte ons bemoedigend toe.
'Het zal nog niet. *It's time to party!*' kondigde Nico
schreeuwend aan. Mijn hart hamerde tot in mijn tenen
terwijl ik Charlot de smalle gang door volgde richting
dancing.
'Oh help', hoorde ik Ellen achter me mompelen toen
de deuren openzwaaiden. Ik kon haar geen ongelijk
geven. Waar waren we aan begonnen! Zag vijfhonderd
man er zo uit als je ertussen stond? Het was in elk
geval druk in Arno's, dat leed geen twijfel. Ik volgde
het spoor dat voor me werd getrokken richting podium.
Ik moest twee keer proberen voor ik eindelijk het
trapje op kon klimmen, zo hard knikten mijn knieën.
En dan zag ik hem. Tussen alle joelende en lachende

gezichten, viel hij me toch als eerste op. Eric stond een beetje opzij, in de richting van de bar, met vol zicht op het podium. Hij stak zijn duim op en wierp me een kushandje toe. Ik glimlachte beverig terug.

Ons nummer startte, ik hoorde Jesse achter me aftellen en de rest ging vanzelf. Het spetterde in mijn buik, knalde in mijn benen. Mensen joelden en klapten. Er flitsten camera's. Er klonk gefluit. Ik steeg op. Het was alsof enkel de tippen van mijn tenen af en toe nog de grond raakten. Heel even ontmoette mijn blik die van Charlot toen we elkaar kruisten op het podium. We dansten. In Arno's. Dat de stukken ervan afvlogen. Allebei. Dat was toch waar het allemaal de hele tijd om te doen was geweest.